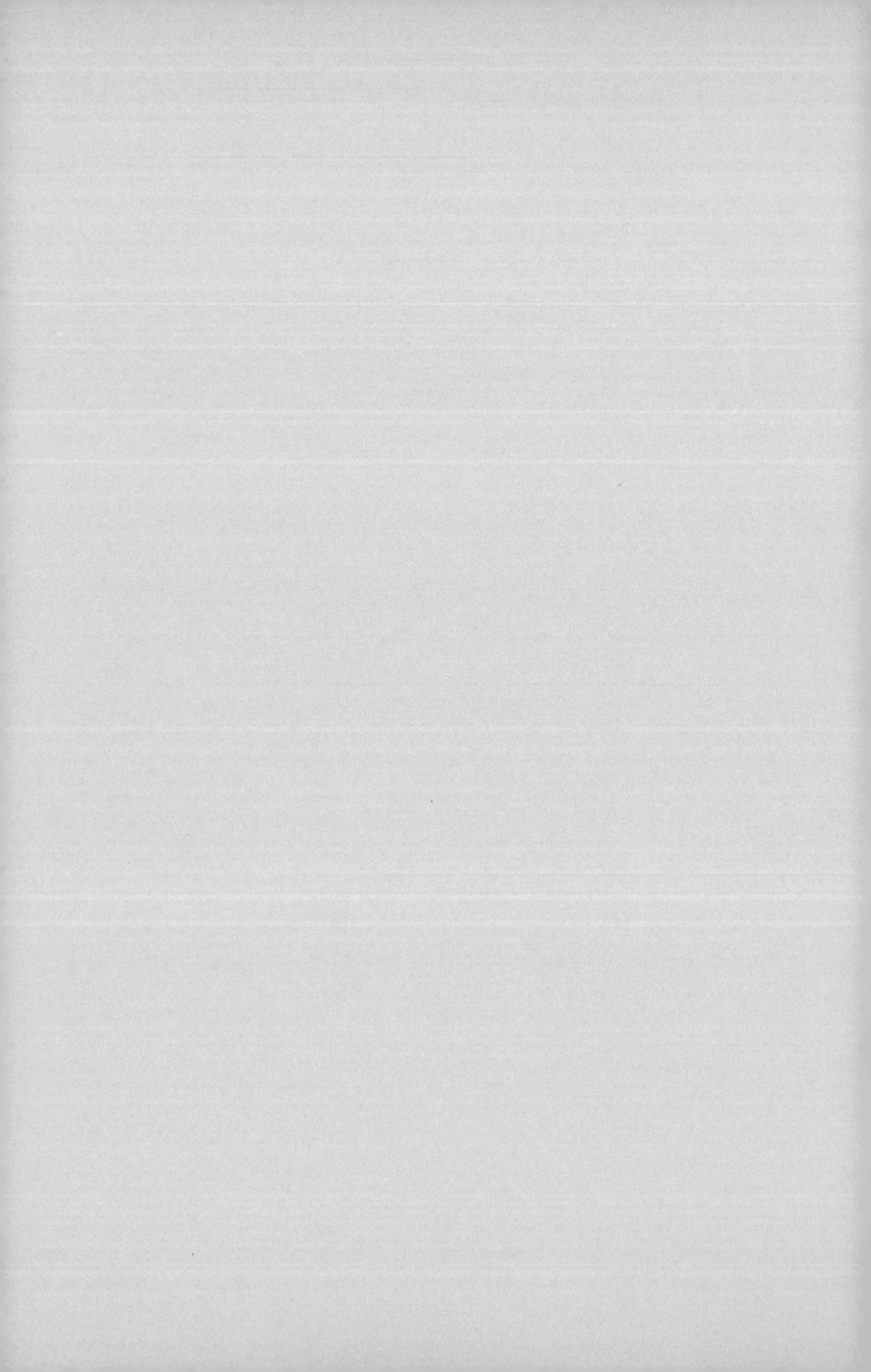

감기 한잔, 외로움 두 스푼

저자 소개

이세일(李世日)

블로그「수다쟁이닷컴」

http://talkativer.com

italkativer@naver.com

시집 '사랑의 끝에서 : 있었으되 이젠 없는 것들'(2016)

시집 '심통 하나, 시 하나'(2017)

감기 한잔, 외로움 두 스푼 [개정판]

발　행 | 2017년 5월 1일
저　자 | 이세일
펴낸이 | 한건희
펴낸곳 | 주식회사 부크크
출판사등록 | 2014.07.15.(제2014-16호)
주　소 | 경기도 부천시 원미구 춘의동 202 춘의테크노파크2단지 202동 1306호
전　화 | (070) 4085-7599
이메일 | info@bookk.co.kr

ISBN | 979-11-272-1516-3

www.bookk.co.kr

감기 한잔, 외로움 두 스푼

이세일 지음

끝머리의 시작

글을 모으며 보니 여기 저기 써놓은 글들이 참 많습니다. 애초에 엮어 내려는 마음이 있었지만 자꾸 미루다 보니 많이 늦어졌습니다.

스무 살에 쓴 글도 있고 최근에 쓴 글들도 있습니다. 이십대엔 무슨 할 말이 그리도 많았는지 늘 이야기를 하는 것에 굶주려 있어 보이고, 서른이 넘어 쓴 글엔 삶에 대한 고민이 참 많이 보입니다.

시간을 달려오며 글을 쓰는 느낌이나 문체까지 달라져 있는 것도 알게 되었습니다. 어느 한쪽으로 통일시킬까하다 그것조차도 삶의 흐름을 담고 있다는 생각에 그대로 두었습니다.

글도 조금씩 편안해지고 부드러워지는 것처럼 나이를 먹어 간다는 것은 그야말로 조금씩 완성되어 가는 것이라고 생각합니다. 좀 더 너그러워지고, 좀 더 용서하고, 좀 더 내려놓는 그런 삶의 방향을 찾아가고 있습니다.

어느 시점에서 쓴 글들은 그 시기의 삶의 모습이 많이 반영되어 있습니다. 감정을 터트린 글도 있고, 스스로에 대한 고민도 있고, 생활에서 문득 다가온 작은 깨달음에 관한 글도 있습니다.

더 늦어지기 전에 여기 저기 흩어져 있는 이십대를 지나 서른 중반인 지금까지의 자투리 글들을 묶어 이렇게 한 권의 책으로 엮어 봅니다.

실제로 어떻게 살아냈는지 기억이 나질 않는 이십대를 스스로 쓴 글을 통해 다시 만나는 느낌은 참 새삼스럽고 부끄러운 일이기도 합니다.

서른 중반을 달리고 있는 시점에서 풋풋한 그 시절의 치기와 열정을 응원하게 되기도 하고, 쓸데없이 정의롭고 까칠한 모습에 둥글둥글 살라고 핀잔도 주고 싶습니다. 그리고 이십대의 저는 현재의 저에게 그만 우유부단하고 용감해지라고 윽박지르기도 합니다.

엮은 글들을 통해 저는 십 몇 년 간의 여행을 다녀왔습니다. 읽는 분들의 공감이 어디에서 올지는 모르나 같은 시절을 살아온 삼십대의 그 누군가에게 책을 덮고 나면 한번쯤 웃을 수 있는 추억의 실마리가 되길 바라봅니다.

삶은 언제나 계속 되는 것.

청첩(請牒)

시간이 만드는 것들

거울 이야기

미쳐보기

감기 한잔, 외로움 두 스푼

청첩(請牒)

청첩(請牒)

-매일 청첩하겠소

아침에 연수실에서 학교 일과를 칠판에 써두고 커피 한 잔을 따라 들고 교실로 올라와서 교탁에 앉았습니다. 아침은 우리 반 아이들 독서 시간이라 선생님도 방해할 수가 없어 조용하게 하루 일과를 업무일지에 정리하곤 합니다.

그런데 교실 앞쪽 출입문에 기다란 그림자가 서성이는 겁니다. 조금 열린 문틈으로 조금은 부끄럽고 안절부절못해하는 모습으로 서 있기에 얼른 문을 열었습니다. 우리 학교에 작년에 신규로 발령 받은 여선생님이십니다. 용무는 다름 아닌 청첩장.

결혼 소식은 벌써 듣고 있었지만 이렇게 직접 청첩장을 받으니 실감이 나긴합니다. 누군가는 농담으로 고지서라고도 부르기도 하던데요, 그들의 행복이 보장되는 고지서라면 기꺼이 받아들일 마음이 있습니다.

얼른 문을 열고나서니 부끄러운 표정으로 청첩장이 든 봉투를 건넵니다. 신랑 될 사람이 이 지역 사람이 아니라 멀리서 결혼식을 올리게 되어 피로연을 근처에서 연다고 알려주고 갑니다. 그간 수업 시간에 아이들과 봄맞이를 제대로 하고 있었는데 이 청첩장이 더 확실하게 봄이 이제 거의 정점에 왔음을 알려주는 듯 합니다.

청첩(請牒).
좋은 일에 사람을 초대하는 일.

세상살이에서 좋은 일은 참 많겠지만 그 중에서도 남녀가 만나 가정을 이루는 결혼은 그 무엇보다 기쁜 일임은 틀림이 없습니다. 그래서 이렇게 좋은 일에 다른 사람을 초대하기 위한 초대장 '청첩장'을 돌리나 봅니다. 꼭 결혼이 아니더라도 기쁜 일에 사람들을 초대하는 일이 '청첩'이라면 살면서 '청첩'할 일이 몇 번이었나 가만히 속으로 세어봅니다. 얼른 세어 보아도 몇 번 되질 않네요.

결혼은 이미 오래전에 했고, 아이들도 훌쩍 자라 이제는 학교에 다닐 만큼 스스로 사람 구실을 하고 있으니 남은 기쁜 일이 얼마나 될까 싶기도 합니다. 아주 더 긴 시간이 지나고 나면 아들

딸들이 자라 결혼할 나이가 되고 그네들의 청첩을 돌릴 쯤이 되면 그것 역시 기쁜 일이 될까요? 아님 그건 자녀들의 기쁜 일일까요. 아직 오지 않은 일이라 뭐라고 장담하진 못하겠습니다.

그런데 말이죠. 이렇게 기쁜 일이 얼마나 되는지 가늠해 보다가 깨달은 게 있습니다.

그건 바로 나름 참 잘 살아왔다는 것입니다.

학교 다니면서는 유급한 적도 없이 친구들과 잘 졸업했고, 대학이나 취직도 그럭저럭 잘 다녀서 취직한 듯합니다. 정말 남들 보기에는 평범하게 남들처럼 잘 살아온 것처럼 보입니다. 그것만도 참 기쁜 일이라는 것을 느끼게 된 겁니다. 일일이 그것에 얽힌 사연을 풀자면 모든 사람들이 대하드라마를 만들어 가겠지요.

몸서리 치게 기쁜 날들이 손에 꼽을 정도로 적을 지라도 그렇지 않은 평범한 날들이 지금의 기쁜 하루를 있게 했다는 잠자던 사실을 깨운 것입니다. 어젯밤 까지만 해도 바닥을 모를 절망 속을 걷고 있었습니다. 그래서 곁에 있는 소중한 사람에게 말도 안 되는 이야기를 해대며 힘들게 하고, 스스로에게도 마구 비난을 퍼부으며 자꾸 스스로를 구기고 있었습니다. 그리고 힘겹게 맞이한 아침과 출근이었습니다.

청첩장을 받아들곤 옛일들을 생각했습니다.

추억도 아니고 옛일이라고 부르는 건 좋은 기억만 있는 것이 아니기 때문입니다. 그래도 청첩장으로부터 시작된 옛일들에 금방 눈시울이 붉어졌습니다. 어쩜 이리도 잘 살아왔을까요. 삶의

파도 앞에서 휩쓸리지 않고 잘 살아온 겁니다.

언제고 받았던 청첩장일진대 오늘은 유난히 의미가 남다릅니다. 미안하게 청첩장을 전한 당사자와는 아무런 관련도 없는 스스로의 옛일들로 인함이지만요.

어느 결엔가 유행가 가사가 자기 이야기 같다던 어느 유행가의 노래 가사처럼 매일 삶을 후비는 것들이 있나 봅니다. 아침은 위대하고 고요하게 숨죽인 한 사람에게 힘을 불어 넣었습니다. 일단 어제 고집부리며 누군가를 속상하게 한 일이 있는데 그것부터 사과해야겠습니다.

2015년 4월 22일

#오랜만의청첩장 #청첩하는일상 #그대로도좋은데왜굳이괴로워해
#다들참잘살아왔어 #고마와

아침 소리

-고요한 아침을 위하여

다시금 시작된 도시에서의 아침이다. 새삼스레 도시라고 하니 어색하기도 하다. 두 달여 만에 고향에 다녀왔다. 고향의 아침은 고요하다 못해 적막했다. 마당을 휘젓고 다니는 우리 집 흰둥이 강아지 행주가 짖는 소리만 빼면.

생각해 보니 도시에서 생활하면서 내 귀는 시끄러움 그 자체에 면역이 되어버린 듯하다. 아침이면 시끄럽게 지나가는 쓰레기 수거차 소리에서부터 저녁마다 벌어지는 주차 싸움, 오밤중에 자는 사람마저 깨우는 술 취한 피곤한 가장들의 함성이나 내 나이 또래 뜨내기의 패기는 넘치지만 발음이 새는 소리의 노래까지 이리도 피곤하단 말인가.

고향에 오래 있었던 것도 아니다. 단지 이틀이었을 뿐이다. 그리곤 광주로 올라오는 버스를 타고 터미널에 도착해서 내린 순간부터 내 귀가 불편한 반응을 하기 시작했다.

찻소리며 사람들 소리에 갑자기 짜증이 났다. 내 몸은 20년 동안이나 아침이면 통통배 소리가 들리고, 깊은 밤이면 동네 개 짖는 소리에 익숙해 있어서 오래 몸에 밴 것들, 그 중에서도 내 귀가 도시에서의 3년 생활 중에도 적응을 못하는 건 당연한 일인지도 모른다.

누가 우리나라를 고요한 아침의 나라라 했던가. 적어도 내가 서 있는 이 도시의 아침은 고요한 아침이 아니다. 흔한 노래 가사처럼 아침이 오는 소리에 잠을 깨어보고 싶다. 아침이 오는 소리는 어떤 빛깔일까. 아침이 오는 소리를 들어 본 사람은 있을까.

세상에서 가장 시끄러운 소리는 지구가 자전하는 소리라고 한다. 하지만 그 소리가 너무 커 사람이 들을 수 있는 범위를 벗어나서 아무도 그 소리를 들을 수는 없다고 한다.

아침이 오는 소리도 그렇지 않을까 한다. 너무나 맑고 고와서 태어나서부터 세상의 시끄러운 소리에 본의 아니게 익숙해져버린 우리의 귀로는 들을 수 없는 것인 게다. 아니, 아침이 오는 소리는 귀로 듣는 게 아니라 마음으로 들어야 들리는 소리인지도 모르겠다.

어머니의 잔소리가 있고, 그로 인해서 더 일어나기 싫은 행복한 나른함이 있는 그런 아침을 갖고 싶다. 누구든 좋으니 아침이 오는 소리를 담아서 나 같은 이들에게 고요한 아침을 선사해 주기를 기대해 본다.

지난 이틀, 나를 반겨 그토록 짖어대던 우리 집 흰둥이를 시끄럽다고 다그친 게 못내 미안하기만 하다.

2002년 7월 7일

#아침이오는소리 #어머니의도마소리 #사람이깨는순간 #아침형인간은어머니들뿐

새나라의 어른

-일찍 일어나고파

찰나의 순간이 이어지는 하루하루 속에서 우리는 얼마나 찰나의 경이로움에 빠져 사는 것일까? 찰나의 경이로움보다는 촌각의 촉박함에 떠 밀려다니고 있는 건 아닌지 모르겠다. 요즘 들어 학교나 개인적인 일을 막론하고 어느 것 하나 늦어지지 않은 것이 없다. 더디 가더라도 가면 된다는 인생살이 여유의 신념을 지닌 내가 요즘은 여유가 아니라 게으름에 빠진 듯하다.

아침에 눈 뜨는 그것이 얼마나 힘들며, 점심을 먹는 그 시간은 없는 듯하다. 아이들과 하루 종일 부딪치고 싸우고, 선생님들과는 수많은 의미 있는, 또는 무의미한 커뮤니케이션에 떠다니다보면 하루가 가는 것이다.

저녁 시간은 또 어떠한가. 거의 매일 퇴근 시간을 넘겨 집에 오면 어느새 시계는 저녁 7시를 넘어서고 다시 숨을 고르고 시계를 보면 9시 어디쯤이다. 그러다 보면 잠드는 시간이 오고 다시 아침이다. 그리고 다시 반복.

아침형 인간이라 했는가.

세상에는 아침형 인간이라 불릴 수 있는 참 사람은 딱 한 인류이다. 바로 우리네 어머니, 아줌마 밖에 없다. 그 이외에 아침형

인간이라 자처하는 이들은 모두 모조품이거나 표면적인 아침형 인간일 뿐이다. 내 어머니와 우리 어머니들만이 아침을 여유롭게 한다. 그네들로 인해 세상의 아침은 여유로워진다. 고마워하자. 그리고 어디에 서 있든지 모든 아가씨들도 미리 존경한다. 그대들로 어쩌면 내 하루가 여유로워 질 수도 있으니.

이제 다시 이야기로 돌아간다.

그런 생활이 한 달쯤 되어 가니 무던히도 둔해진다. 감각도 둔해지고 사는 것 자체가 둔해진다. 오래된 면도날 마냥 되게 말을 안 드는 손과 발, 삭신이다. 매일 저녁 세 개의 알람시계를 아침 5시 40분부터 20분 단위로 세 번 울도록 맞춰놓고 힘들고 괴롭게 잠이 든다. 그리고 눈을 뜨면 아침 8시. 가끔은 그 알람 소리를 듣긴 하지만 대부분의 아침엔 그 소리가 전혀 들리지 않는다. 잠이 깊어서라기 보단 애써 외면하는 것이다.

서두르는 건 싫다. 하지만 느려지는 건 더 싫다. 내일부턴 10분 만 더 일찍 얼어나야겠다. 5시 40분은 욕심이었으리라. 모레는 5분만 더 일찍. 그렇게 조금씩 조금씩 나의 아침 시간을 조금더 소유해 가리라. 세상 모든 사람들에게 너무나 서슬퍼렇게 나눠어진 24시간을 온전하게 누려보고자 한다.

2004년 3월 29일

#아침형인간 #일찍자고일찍일어나기 #시간은누구에게나공평한것
#하지만그가치는모두다른것

햇살 향기

-빨래가 펄럭이면

여름의 꼬리가 무척이나 길다. 봄의 꼬리라면 기꺼이 밟아서라도 잡을 의향이 있지만 여름은 추호도 잡고 싶은 생각이 없다. 여름이 더워야 여름일테지만 몸이 불어난 내게는 상당히 부담이다. 여름을 탓할 일이 아니다. 스스로의 밀도를 탓해야지.

아침에 눈을 뜨니 방안 벽걸이 시계가 10시를 가리키고 있다.

김빠진 콜라만큼 늦잠 자는 걸 싫어하는 내가 또 이런 날을 만들어 버린 것이다. 아침에 늦게 일어나는 날은 하루 종일 일이 더디다.

짜증 가득 섞인 심사를 뒤로하고 좁디좁은 자취방을 휩쓸어서 있는 빨래 없는 빨래를 모두 끄집어냈다. 그리고 어설프게 농구선수 흉내를 내면서 돌돌만 빨래를 세탁기를 향해서 던졌다. 모두 들어갔으면 좋으련만 나처럼 삐져나온 빨래 때문에 세탁기로 다가가서 다시 집어넣었다. 세제를 적당히 풀고 나면 나머지는 세탁기가 알아서 해준다.

다 된 빨래를 세숫대야에 옮겨 담고 건조대를 다른 손에 들고 자취방 옥상으로 향한다. 햇살이 가슴시리도록 좋다. 이상하게 날이 너무 좋은 날은 가슴이 시리다. 한여름에 아이스크림을 앞니 두 개로 베어 먹었을 때 느끼는 그런 시림이다. 눈부신 햇살에 완전히 떠지지도 않는 눈으로 햇살을 뒤로하고 서서 빨래를 널어갔다.

빨래를 널다보면 자취방 옆 동네 길로 사람들이 왔다 갔다 하는 모습이 보인다. 가끔 운 좋은 날은 동네 예쁜 아가씨의 모습을 볼 수도 있다. 하지만 그건 정말 극히 드문 일이고 종종 보는 사람은 같은 동네에서 자취하는 같은 반 여학생이다. 부스스하고 퉁퉁 부은 얼굴로 인사라도 할라치면 어찌나 민망한지 얼굴 두꺼운 나도 얼굴이 뜨거워진다.

또 하나 있다. 빨래를 널라치면 열이면 열 모두 다 길 건너에 사는 새댁 아줌마의 빨래 너는 모습을 볼 수 있다. 같은 자취방에서 4년을 생활하면서 그 아줌마가 보이기 시작한건 2년 전 무렵부터이다. 이사 왔나 보다. 처음 3개월은 그냥 눈 둘 데가 없어서 그냥 등 돌리고 얼른 빨래만 널고 내려오곤 했다. 하지만 그것도 한두 번이지 하는 생각에 갑자기 객기가 생겼다.

어느 날 하루는 작정을 하고 똑바로 쳐다보면서 빨래를 널었다. 빨래라는 것처럼 사적인 일도 없다. 겉옷도 있지만 속옷도 만만치 않기 때문이다. 그래도 그 날은 마음먹은 터라 속옷을 널면서도 아무 내색 없이 그 아줌마를 쳐다봤고 이내 눈이 마주쳤다. 그래서 망설임 없이 냅다 고개를 숙이면서 '안녕하세요'하고 인사했다. 거리가 좀 있어서 소리는 안 들렸을 것이다. 그 아주머니도 당황하신 듯 했다. 같이 고개를 숙이신 걸 보면.

그 날 이후로 동네 슈퍼에서 마주치면 인사하고 지내는 사이가 되었다.

빨래를 널면서도 참 많은 일상이 쪼개지는 것 같다. 글을 쓰기 전에는 이런 많은 이야기가 있을 줄은 몰랐는데 쓰다 보니 이야기 거리가 많다. 빨래를 다 널곤, 학교로 향한다. 여기서부터는 그저 그런 대학 졸업반의 생활이다.

오후 5시쯤 해서 자취방에 돌아왔다. 책가방을 침대 위에 내려놓고 빨래를 걷으러 세숫대야를 끼고 옥상으로 향한다. 해가 거의 서쪽 어디쯤 누워 있는 시간에는 정말이지 이제 가을이구나 싶다. 선선하고, 운치 있고.

빨래에 손을 가져가면 빨래의 그 꼬들꼬들함과 하루 내 받은 햇살 냄새가 난다. 햇살 냄새를 아려나 모르겠다. 이해 못한다고 해도 할 수 없다. 빨래를 걷는 일은 자취생활을 하면서 행복한 순간 중의 하나다. 빨래 하나하나를 차곡차곡 세숫대야에 담으며 교복 입은 수많은 생글생글한 학생들을 본다. 찌들다 못해 아예 폭 삭은 표정만 빼면.

그렇게 걷은 빨래를 침대 위에 아무렇게나 흩트려 놓고 개기 시작한다. 양말은 양말대로, 속옷은 속옷대로, 바지는 바지대로. 그리곤 서랍장을 열어 차곡차곡 넣으면 끝이다.

빨래는 외로움을 삭힌다.

외로워 잠 이루지 못하는 밤이면 빨래판을 펼쳐놓고 비누칠해 가면 콧노래 부르면서 빨래를 해라. 그럼 앙금이 사라진다. 외롭던 현실이 사라지고 때가 빠진 온전한 빨래만 남는다. 세제로 마음도 빨아버리는 것이다.

가끔씩은 빨래처럼 머리채 긴 바람에 맞고 나부끼면서 햇살 가득 먹으며 꼬들꼬들한 일상을 보냈으면 좋겠다.

2002년 9월 24일

#빨래 #취미가빨래야 #햇살향기
#지금도여전히빨래는마음을비우는가장좋은방법

편지

-아는 만큼 보인다

대학교에 갓 입학해보니 신입생들을 유치하기 위한 여러 동아리들이 대단한 노력을 기울이고 있었다. 대학에서의 설레는 시작점에서 그런 모습들은 너무나 즐거웠고 또 3년간의 고등학생 생활에 대한 충분한 보상이라 여겼다.

하지만 나는 동아리에 들지 않았다. 대신 온갖 동아리의 홍보단이 진을 치고 있는 학생회관을 뚫고 지나가 학교 학생회관 맨 꼭대기의 구석진 교지편집위원회를 찾아갔다. 그리고 약간은 어색하지만 '교지 일을 하고 싶다'라고 말한 기억이 있다. 그렇게 시작된 1년간의 수습생활은 생각했던 것보다 멋지지도 않았으며 오히려 엄청난 실망으로 나를 감싸고 들었다.

능력은 있지만 성의 없게 활동하는 선배들의 태도와 정체성이라곤 없는 동기 수습들의 오만함, 거기다 너무나 여실하게 느낀 나의 부족함으로 인하여 말이다.

그런 고민의 끝에 이리 마음고생으로 하루하루 지낼 거면 차라리 그만두자라는 생각에 이르렀고 마음으로 존경하는 편집장 누나에게 솔직하게 말하고 그만 두겠노라고 했다. 그날 누나는 아무 말이 없었다. 그리고 난 다음날 학교 우편함에서 누나가 적어서 넣어둔 여러 페이지의 편지를 볼 수 있었다.

내용을 다 쓸 순 없지만 난 그 편지의 가장 마지막 장을 지금까지도 다이어리 가장 잘 보이는 곳에 끼우고 다닌다. 대강 요약하면 이렇다.

하나님은 사람이 견딜 수 있을 만큼의 시련만 주신다고 해. 나도 대학 와서 보고 듣고 느끼는 가운데 안 사실인데 세상의 겉모습은 큰 의미가 없어. 내가 아는 만큼 내가 그 속을 볼 수 있는 능력이 있어야 해. 항상 끊임없이 알려고 노력해야해. 다 알 수는 없다 할지라도 사는 동안 올바로 보기 위해서, 알기 위해서 노력하며 살 거야. 그 과정에서 누구나 한 번은 겪는 일이야. 일 년 만 참아보자.

겉모습은 의미가 없다. 내가 알고 있는 것만으로 보는 겉모습은 그저 겉모습일 뿐이다. 그 안에 오롯하게 자리 잡은, 어쩌면 전설의 바다 어디쯤에 떠있을 진실이라는 실체를 보는 일은 결코 쉬운 일이 아니다. 어제 학교가려고 옷을 갈아입다 갑자기 나 스스로가 참 우습다는 생각이 들었다. 속담 중에 이런 게 있다.

'보기 좋은 떡이 먹기도 좋다'

그럴지도 모르겠다. 좋은 모습으로 좋은 속을 담고 있을 수 있다. 하지만 아이러니하게도 우리네 속담은 그 반대급부의 또 다른 속담을 가지고 있다.

'빛 좋은 개살구'

나의 겉모습이 아닌 나의 오롯한 실체에 대해서 잠시 생각을 해본다. 제대로 된 '보기 좋은 떡'인지 '빛 좋은 개살구'인지 말이다. 주변의, 정확히 말하자면 나의 의지와는 전혀 상관없는 사람들의 모습과 흔들림 속에서 너무나 그네들이 원하는 방향으로 반응한 한 내가 스스로도 우습다. 좀 힘들고, 주변의 것들이 내 뜻과 좀 다르면 어떤가. 좀 허술하면 어떻고, 좀 나와 다르면 어떤가. 근래의 나는 한심하다.

정말 모든 것이 지닌 그대로의 것을 그대로 볼 수 있는 힘. 그 힘은 알아야 보이는 것이고, 보려면 더 열심히 알고자 노력해야 한다.

우리네 눈에 비춰지는 이 세상의 아름다운 일상들을 우리는 얼마나 이해하며 제대로 알며 살아가는 걸까.

2002년 10월 7일

#알고싶다는건사랑한다는다른말
#알아야보이고보여야알게되고알아야사랑하게된다

친구

-오래 두고 사귄 벗

오후에 전화벨이 울렸다. 군대 간 친구가 말년 휴가를 나와서 만나자고 하니 약속을 했고 이렇게 저렇게 미적거리다 약속 시간 보다 조금 늦어서 친구를 만났다. 물론 친구 녀석은 혼자가 아니었다. 학교 후배들이며 동기들과 함께 있었다.

대부분 아는 얼굴이지만 안보며 산 시간이 길다보니 어색함이 자꾸만 내 온몸에 젖어 들었다. 늘 받는 인사말이 오고갔다. '군대는 언제 가느냐', '얼굴 보기 힘들다' 등등에서 '정말 술 안 마실 거니'까지.

오랜만에 보는 친구들은 많이 변해 있었다. 변하지 않은 건 친구라는 표면적인 이름뿐인 것처럼 보였다. 오랜만에 함께하는 술자리였지만 술은 입에 대지도 않았다. 잘 마시도 못할뿐더러 술에 대한 편견이 좀 있다. 하지만 요즘엔 친구들을 만나자면 술자리가 필수가 된다. 술을 마시지 않는 다는 사실은 여러 가지 이유로 그런 자리에서 나를 불편하게 한다. 아니 오히려 나를 불편해 한다.

그런 것들은 제쳐두고, 우선은 오랜만에 만난 친구와 내 얼굴 눈가에 반가움이 번졌다. 같은 날 같은 훈련소로 입대 영장을 받았지만 친구 녀석은 예정대로 입대했고, 나는 다니던 대학을 자퇴하고 다시 학교에 입학하기 위해서 입영을 취소했었다. 내가 학년이 올라가는 동안 그 녀석의 계급도 높아져서 휴가 한 번 나올 때마다 팔에 줄이 하나씩 늘어갔고 이제는 그 줄이 네 개다. 원래 검은 피부인데다 타기까지 해서 어딘가 불쌍해 보이기도 듬직해 보이기도 했다.

그 녀석과 친구가 된 건 아주 오래된 일이지만 그 녀석이 여전히 좋은 친구로 남아 있는 건 그 녀석의 변하지 않는 모습 때문이다.

친구들과 여러 선배들을 겪으면서 흔히들 군인을 왜 '군바리'라고 하는지 자연스럽게 알 수 있었다. 특유의 군대 이야기가 그 대표적인 것들 중에 하나다.

한번 시작하면 끝이 없는 남자들의 군대 이야기란 같은 남자인 내게도 굉장히 곤란한 일이다. 하긴 이 친구 녀석 입영하는 날 같이 가서 그 녀석만 두고 집으로 돌아오는 길의 그 착잡함에 비하면 이런 허풍 섞인 유쾌함은 오히려 더 나은 건지도 모르겠다.

하지만 그 녀석에게서는 군인 냄새가 나지 않는다. 묻기 전까지는 애써 군대 이야기를 하지 않는다. 묻더라도 간단한 답만을 뱉어 놓으며 이내 화제를 돌린다. 한 달 후 제대하는 말년 휴가 나온 그야 말로 군인인 친구의 모습 어디에서도 군인은 찾아 볼 수가 없다.

작년 이때 쯤 휴가 나온 친구 녀석에게 물어보았다. 왜 그리도 군대 이야기를 안 하냐고 말이다. 그 녀석, 웃으면서 간단하게 대답해줬다. 자기 아는 선배며 동기들이 휴가 나와서 지루하게 늘어놓는 이야기가 초라하게 느껴졌다고 말이다. 그 이야기를 듣고 마음 한 구석에서 표현하지 못할 감정이 솟구쳤지만 가볍게 웃어 주었다. 나는 그런 그 녀석이 좋다.

그런 멋진 녀석과 시골의 카페에서 싸구려 칵테일 한 잔을 탁자 위에 올리고 그간의 이야기를 풀어놓았다. 고등학생 때 이년 동안 짝으로 지내며 많은 꿈들을 같이 이야기했었다. 그 친구의 꿈은 아이러니하게도 초등학교 선생님이었다.

그런 지금 그 녀석은 그 길과는 다른 길을 걷고 있고 나 역시 그때 그 녀석에게 이야기했던 꿈들과는 다른 오히려 그 녀석이 꿈꾸던 길을 걷고 있으니 삶이란 묘한 것이다. 숨 막히던 사춘기를 지나 이제 어른이 되어 만난 시커먼 친구 둘은 그렇게 새벽이 가도록 사춘기 여학생들처럼 한참 수다를 떨었다.

애인을 두고 군대에 간 그 녀석의 부탁으로 그 녀석을 대신해 애인에게 CD를 보냈던 일이며, 내 자취방에 보일러가 고장 나 휴가 나온 그 녀석을 감기 들게 해서 들여보낸 일까지. 지나온 시간은 그 모든 것들을 추억으로 만들고 싸구려 칵테일에 어울리는 맛있는 안주거리로 만들어 주었다.

취업에 대한 이야기를 할 때는 정말이지 우울해 보였다. 이제 한 달 후면 제대해야하는데 아직은 막막하단다. 서울에 있는 명문대를 다니는 그 녀석의 입에서 나오는 취업에 대한 걱정은 내가 생각한 것 보다 힘들어 보였다. 그런 친구의 모습에 내 나이가 이제 그렇게 만만하게 세상을 살아갈 나이는 아니라는 사실이 시리도록 느껴졌다.

그래도 오늘은 이 칵테일 한잔에 기뻐하자. 남은 한 달 건강하게 지내고 다음엔 내가 군인으로 네가 민간인으로 다시 만나자. 그때는 더 즐거운 이야기가 많겠지.

2002년 8월 13일

#친구 #연락없어도그러려니하는사이 #보고싶은친구들이많네
#왜이렇게친구들을잊고살았지 #이넓은지구에혼자살고있는듯하다

시간이 만드는 것들

함박눈의 특별한 효능

-고마워요, 사유리

눈이 옵니다.

창밖을 보니 눈이 펑펑 옵니다. 그래서 집안에 있던 그대로 반팔 반바지 차림으로 밖으로 나가서 사진을 두 장 찍어왔습니다. 아침에 첫째를 학교에, 둘째를 유치원에 데려다 주면서 눈에 대해서 실컷 수다를 떨었는데 이렇게 긴장을 풀고 보니 더 좋네요.

눈 하면 떠오르는 일들이 참 많습니다.

가장 오래된 눈에 대한 기억은 고등학생 때입니다. 그때 참 좋아하던 여학생이 지역의 여고에 다니고 있었는데 미술반, 그러니까 대학에서 미술을 전공하기 위해서 준비하던 입시생이었습니다. 남녀공학이 흔하지 않던 시절에 중고등학교를 다녀서 뭔가 여고는 판타지의 세계였지요.

고2때인 걸로 기억합니다. 야자 시간에 함박눈이 펑펑 내리 길래 불타는 사나이 가슴이 일렁거렸습니다. 그래서 당당하게 야자를 타파하고 뜻이 맞는 친구 네 놈과 여고 운동장에 달려가 그 여학생의 이름을 크게 써두고는 달아났습니다.

야자 끝나고 나오면서 봤을까요, 아님 그 사이 내린 함박눈에

덮여 버렸을까요? 어느 쪽이든 그 여학생은 잘생긴 남편 만나서 이제 예쁜 딸의 엄마가 되어 있습니다. 교회에서 그 여학생의 딸아이를 보는데 알 수 없는 뿌듯함이 밀려왔습니다. 지나온 시간만큼 추억도 같이 자라난 느낌이네요.

또 다른 기억은 2005년 즈음으로 날아갑니다. 그 해엔 5학년 담임을 맡았습니다. 요즘엔 그런 일이 없는데 그 해 1, 2월엔 눈이 참 많이 왔습니다. 날씨는 그리 춥지 않았는데 눈이 참 많이 내렸지요.

그런데 개학하고 4월이 다되어 가는데 눈이 펑펑 내린 겁니다. 기억으로는 4월 며칠이었던 것 같은데요, 이미 교실 환경판도 막 한지랑 색종이 오려서 개나리 만들어 붙이고 이랬는데 눈이 펑펑 내려서 발목이 잠길 정도로 쌓였습니다. 그날은 오전에 수업 다 내려놓고 운동장으로 나가서 점퍼도 안 입고 콧물 찔찔 흘리면서 아이들하고 눈싸움하고 눈사람 만들었던 기억이 나네요.

그리고 십몇 년이 훌쩍 지난 일인데요, 담양교육연수원에서 신규교사직전연수 받을 때의 기억도 스칩니다.

그날따라 눈이 참 많이도 왔습니다. 아주 이른 새벽에 광주교대 근처에서 버스를 타고 연수원에 아침 일찍 도착했습니다. 그 시간이 아주 이른 시간이었는지 연수원 들어가는 입구에 그 누구의 발자국도 아직 찍혀있지가 않았습니다.

그래서 처음으로 눈 내린 그 길에 발자국을 남기고 사진까지 찍었던 기억이 있습니다. 그 느낌을 칼럼으로 기고한 일도 있으니 그 느낌이 참 대단했나 봅니다.

수많은 기억과 추억이 새록새록 하지만, 가장 최근의 기억은 분식점입니다. 우울하고 속상함은 펑펑 눈 오는 날 분식점 라면 한 그릇과 잦은 수다 한 번이면 금방 치료가 되지요. 생각과 걱정은 라면 면발처럼 꼬불꼬불하지만 금방 삼켜버리고 소화시켜버리면 됩니다.

그러면서 이야기를 나누면 금방까지 사람을 채우던 고민과 걱정, 속상함은 날아가는 겁니다. 그렇게 라면 한 그릇과 되지도 않는 수다로 속상한 이의 마음을 풀어 돌려보내고 나면 참 행복합니다.

방송인 사유리씨가 자신의 트위터에서 알려준 내용인데요, 눈에는 흡음효과가 있다고 합니다. 누군가 몰래 울었던 소리도 눈 속에 들어 있어서 눈이 녹으면, 그 슬픔들도 사라진다고 합니다.

그래서 눈이 오면 이리도 설레는가 봅니다. 마음속에 속상한 일이나 슬픔이 있다면 눈의 '흡음효과'에 조금 기대어 보세요.

몰래 울었던 일들도 오늘 만큼은 눈과 함께 펑펑 울어버리고 눈이 녹을 때 같이 거짓말처럼 날려 보내버리시면 됩니다.

저도 함박눈 날리는 오늘밤엔 눈송이마다 섭섭한 마음 하나씩 얹어 날리고, 속상함 하나 얹어 날리고, 미운 사람 얼굴 한번 얹어 날리고 하면서 조금씩 마음의 나쁜 기운을 몰아내는 중입니다. 실어 보낸 것들은 눈송이와 함께 어딘가에 내려앉겠지만 해가 떠오르면 금방 녹아서 같이 없어질 테니까 서로 윈윈이네요.

어디에서, 누구와 보고 있든 이 눈이 맞잡은 손을 더 따뜻하게 느끼도록 해주는 그런 밤이었으면 합니다.

2014년 12월 5일

#감수성 #눈 #함박눈 #설렘 #치료제 #슬퍼하지도우울해하지도말라그대들

쉼

-숲 속 계단에서 느끼는 행복

벌써 올해도 절반을 넘어섭니다. 엊그제 시작한 것 같은 한 해가 벌써 중간에 와 있습니다.

시간은 참 덧없이 이렇게 흐릅니다. 김광석 씨의 '서른 즈음에'란 노래의 가사처럼 '내가 떠나보낸 것도, 내가 떠나온 것도 아닌데' 계절은 다시 돌아옵니다. 아마도 지금쯤은 봄과 여름의 알 수 없는 어디쯤일 듯합니다. 거대한 몸뚱이에서 쉼 없이 흐르는 땀방울은 이미 여름이지만 아직 여름의 그 녹초 같은 느낌보다는 봄의 푸름이 더 많이 남아 있습니다.

유난히 길었던 연휴의 끝자락에 서니 이렇게 주어진 시간 동안 나는 무얼 했나 돌아봅니다.

쉼.

긴 연휴가 시작되기 전 '쉼'을 가지고자 계획했습니다. 지난 3월부터 쉼 없이 달려온 그 시간들은 쏜 살처럼 지나갔지만, 시간만 스쳐 지나간 게 아니라 몸에 고스란히 피로로 쌓여 있었나 봅니다. 끊임없이 쉬고 싶단 생각을 해오다 어느 하루는 마음을 굳게 먹었습니다. 오늘은 무슨 일이 있어도 늦잠도 자고, 하루를 거실에서 뒹굴어 보리라하고 말이지요.

그렇지만, 우습게도 우리 삶에도 관성이 있나봅니다.

그렇게 다짐하고 잠들어 밤새 뒤척이며, 눈을 뜬 시간은 아침 5시입니다. 평소보다 30분이나 먼저 일어났습니다. 지난밤에 이 날만큼은 푹 쉬리라 그렇게도 다짐했는데도 이렇게 되고 보니 그저 헛웃음이 나옵니다. 더 뒤척이며 잠들어 보려고 했지만 그것 역시 쉬운 일은 아닙니다. 그래서 이렇게 된 김에 망설이지 않고 훌훌 털고 일어나서 마당으로 나섰습니다. 마당엔 지난 2주 동안 돌보지 못한 잔디가 제 상념의 길이만큼 자라 있었습니다.

마당 있는 집에서 사는 것이 제 이십대의 로망이었지만 정작 집을 신축하고 잔디가 깔린 마당 딸린 집에 살게 되니 잔디도 깎아야 하고 주말엔 바비큐를 구워야 하는, 땀 마를 날 없는 마당쇠가 되어있습니다.

행복은 내 마음 밭에 행복의 씨앗을 뿌리는 일이기도 하지만 결국 투자가 필요하다는 결론에 이릅니다. 씨앗을 심었으면 물도 주고 해야 하는 것이 내 마음 속 행복 밭인가 봅니다. 아마도 법정 스님께서 그토록 '무소유'하라고 하신 이유도 가지고 있는 것에 대한 끊임없는 투쟁을 하신 것이라 생각됩니다.

'게으름의 날'로 선포한 날마저 이렇게 일찍 일어났다며 혼자 툴툴거렸지만 어차피 언제해도 해야 할 일이기에 묵묵히 잔디를 깎았습니다. 손으로 미는 수동식 잔디 깎기 기계를 이용해서 한 시간 남짓 땀을 뻘뻘 흘려가며 기다란 잔디를 정리해주고 집 앞 테라스에 올라와서 보니 깔끔합니다. 깎고 난 직후에는 다 끝났다는 뿌듯함이 대부분이었는데 끝나고 찍어둔 사진을 보니 초록 빛깔이 사람을 참 행복하게 한다는 사실을 알게 되었습니다.

고등학생 시절 교과서에 수록된 '신록예찬'을 읽으며, 어느 숲 속에 들어앉으면 이런 글이 솔솔 나올까 하고 그 글 속의 풍경을 참 많이도 상상했었습니다. 그토록 초록을 추앙할 수 있는 곳은 어디일까 하고 말이지요.

저는 원색을 참 좋아합니다. 빨강, 파랑, 노랑, 초록 등 파스텔 톤보다는 그저 이기적이고 고집이 센 선명한 색이 좋습니다. 그래서인지 이제 중년이 코앞인 배 나온 아저씨가 새빨간 자동차를 타다보니 주변에서 이상하게 보기도 합니다. 그렇지만 그건 틀린 게 아니라 좀 다른 것이니 그러려니 해주셨으면 좋겠습니다.

결국 아침부터 잔디를 깎은 이날은 거실에서 뒹굴 거리는 대신 아이들과 극장에도 다녀오고, 어느 광장에서 큰아이는 자전거를 타고, 귀염둥이 두 딸은 전동차도 타며 아이들의 웃음소리와 하루를 보냈습니다. 그렇게 또 제 온전한 개인의 쉼은 멀어졌습니다.

가만히 생각해보니 쉬겠노라고 공언한 날치고 제대로 쉬어 본 적이 없는 듯합니다. 어쩌면 당연한 것인데도 없는 것에 대한 사람의 욕심이란 통제하기가 힘듭니다.

그리고 결국 오늘 하루를 채운 건 시간이지만 체력이 필요한 일이라 밤이 되면 피곤이 몰려옵니다. 그리고 어젯밤처럼 다시 다짐을 하며 잠에 듭니다. '내일은 꼭 하루 종일 뒹굴며 쉬어야지'하며 잠들지만 다음날도 아침 5시 30분이면 또 눈이 떠질 거라는 걸 알고 있습니다. 명확한 내일이지만 그 밤마다 하는 다짐이 아마도 제겐 위로이고 쉼이 아닐까 생각도 해봅니다.

역시나 다음날 아침에도 같은 시간에 눈을 떴고, 가족들과 여러 가지 집안일을 해치우고서 오후에는 집을 나섰습니다. 오늘은 뒹굴 거리는 쉼 대신 초록색을 만나러 가기로 마음먹은 탓입니다.

한적한 국도를 한 시간여 달려 마음먹은 목적지인 해남 땅 끝 마을에 도착했습니다.

거창한 걸 한 건 아니고요, 모노레일을 타고 전망대에 올라 주차장으로 향하는 숲길로 들어서서 그 길 중간 계단에 앉아 초록색 속에 파묻혀 있었습니다. 오고가는 분들이 말도 걸어주시고, 인사도 해주십니다. 나뭇잎 사이로 간간이 새어 들어오는 햇살이 참 고맙기도 하고, 여기 저기 달려드는 산 벌레들도 반갑긴 하지만 시간을 방해해서 훅 불어 강렬한 인사를 나누었습니다.

여기 이렇게 앉아 한 시간 가까이 있었나 봅니다. 다정한 연인도 지나가고, 어르신들도 지나가시고, 아이 손을 잡은 가족들도 지나갑니다. 그런데 대부분의 건장한 남자들은 다들 땀을 뻘뻘 흘리며 이 계단과 싸우면서 갑니다. 우습기도 하고 왜 꼭 저렇게 이기려고 하는지 궁금하기도 합니다. 저는 계단과 싸우는 대신 계단에 무거운 몸을 의지해 이 신록의 푸름과 이야기를 나누었습니다.

조금 더 깊이 들어가면 토토로가 코를 골며 자고 있을 거 같은 생각도 듭니다. 그리고 어느덧 이웃집 토토로의 OST도 귓가에 맴돕니다. 거실에서 뒹굴 거리는 쉼도 좋지만 오늘은 이렇게 숲 속에 앉은 쉼의 효과가 더 큽니다. 약효가 다하면 또 숲을 찾을 생각입니다. 정 안되면 마당의 잔디라도 또 깎아야겠지요.

저 뿐만 아니라 많은 분들도 더 괜찮은 삶의 방향 내지는 개인적인 행복을 위해서 달리고 계시진 않으신가요?

하지만 커다란 아름드리나무도 지상의 가지만큼 땅 속에 깊고 넓은 뿌리를 박고 서 있습니다. 우리는 열심히 달리는 만큼 쉬어주어야 합니다. 초반에 과하게 에너지를 써버리고 중요한 순간에 지쳐 쓰러지는 촌놈마라톤 하지 않으려면 말이죠. 쉼은 삶을 꾸준히 달릴 에너지가 되어줄 겁니다.

비로소 저는 쉬는 느낌입니다. 이런 곳에 앉으면, 푸른 글이, 생각이, 정신이 절로 생깁니다.

이 쉼을 에너지 삼아 새로 시작할 일주일도 즐겁게 즐겨보려 합니다.

2014년 6월 9일

#삶은쉼이절반 #쉼 #신록예찬 #숲속계단 #드라이브 #에너지 #재충전
#마치충전기에들어갔다나온듯해

어느 여름날 저녁

-노을을 바라보다

오전부터 속이 안 좋고 어지러워서 결국 퇴근 후에 병원을 찾았다. 나름대로의 진단으로는 더위를 먹었나 싶었는데 그건 아니고 탈수증이란다. 지금은 좀 덜한데 예전에는 여행만 다녀오면 탈수증으로 고생을 많이 했다. 물을 좀 예민하게 가리는 편이라 어느 지역의 식당에서 주는 물을 마시면 꼭 배탈이 나곤했었다. 그래서 지금은 아예 생수를 끼고 여행을 다닌다.

탈수증은 말 그대로 몸 안의 수분이 부족하여 신체 기관이 제대로 일을 하지 못하게 되는 증상이다. 뭐든 넘치거나 부족하면 문제가 된다. 지난 1년 동안 급격하게 불어난 체중으로 이번 여름은 정말 힘이 든다. 마음이 편해서인지 감당하기 어려울 정도로 체중이 불었다.

병원에서 자그마한 링거 한 병을 맞고 나서 차에 올랐다. 그리고 집으로 돌아가다 친구네 부부가 시골집에 내려왔다며 집으로 초대를 해주었다. 몸 상태가 안 좋아 거절할까 하다 일 년에 한 번 보기도 힘든 친구라 아이들과 함께 드라이브 삼아 나섰다.

시골에 살면서 더 시골인 친구네 시골집을 찾아가다 길을 잃어서 친구에게 근처라고 전화하고 앞을 보니 배나온 아저씨가 손을 흔들고 있었다. 친구다. 고등학생 때부터 교대 가서 초등학교

선생님이 되겠노라고 하던 친구. 이 친구 덕에 교대를 알게 되었고 초등학교 선생님이 어떻게 되는지 알게 되었다. 아이러니하게 지금 초등학교 선생님인건 나다.

물론 지금은 서울에서 대학을 나와서 사업한다. 좋은 브랜드의 차를 타는 걸 보니 사업이 잘 풀리나 보다. 진심으로 기쁘다.

간만에 친구와 입이 귀에 걸리게 웃으며 악수를 나누고 친구네 시골집에 들어갔다. 어른들께 인사를 드리고, 친구와 친구네 아이들 그리고 우리 아이들과 함께 부두가 있는 바닷가를 걸으며 이야기를 나누었다.

세상에는 친구라는 어설픈 것들이 많이 존재한다.

그런데 이 친구는 하나도 어설프지 않다. 힘든 시기를 같이 이겨오고, 연락 없어도 잘 살겠거니 하며 생각만으로도 위안되는 친구다. 그래서 어느 결에라도 그 친구의 부탁이면 계산하지 않는다. 무리일지라도 말이다. 소유물은 본디 내게 없던 것이다. 그래서 없는 셈 치면 다 쉬운 일이다.

친구와 그동안 저금해둔 많은 이야기를 나누고, 시골집 마당에서 바비큐를 만들어 나누며 친구네 가족들과 담소를 나누었다. 여전히 속이 좋지 않아 그저 웃음만 뿌리고 있었지만 그래도 혹시 몰라 사들고 간 수박 한 통이 지친 심신을 달래는 약이 되어주었다. 모임이 끝나고 아이들 손에 용돈을 쥐어주는 친구를 극구 말리고 친구네 시골집을 나섰다.

그렇게 길지 않았지만 힐링의 시간을 보내고 차를 돌려 친구네 시골 동네를 빠져 나오며 모퉁이를 돌아 나오니 새빨간 풍경이 펼쳐진다.

문득 태풍이 올라온다는 뉴스가 떠올랐다. 오후가 되니 점점 짙어진 구름은 점점 더 낮아졌고 빨간 노을과 만나서 이런 풍광을 만들어 내고 있었다.

결국 차를 세우고 우리 아이들과 도로가에 서서 지는 노을빛으로 감성을 물들였다. 거북이 등껍질처럼 정서가 쩍쩍 갈라진 큰 아이나 이제 한글 겨우 뗀 두 딸의 눈에도 예쁘게 보이나 보다. 세 아이들의 뒷모습이 노을 속에 실루엣으로만 남았다. 아무 생각 없이 한참을 바라보았다. 하루 종일 컨디션이 좋질 못해 힘든 하루를 보내고 난 내게 선물이라도 되는 듯 저런 빛을 내며 하늘이 물들어 있다니.

왠지 모르게 아옹다옹 사람 사는 일이 참 덧없게 느껴졌다. 이렇게 종종 사람이 만들 수 없는 자연의 풍광은 사람에게 얼마 남지 않은 겸손함과 깊이를 알 수 없는 배려심을 길어 올린다.

빨갛게 상기된 노을 진 하늘을 보고 있노라니, 요 며칠, 그리고 지난 주말, 아무것도 아닌 일에 사람을 탓하며 이보다 더 얼굴을 붉힌 일이 스치고 지나간다.

그래, 그게 무슨 큰일이라고.

사람 목숨이 걸린 일도 아닌데 왜 그리 배려 깊지 못했을까. 이렇게 좋은 친구를 만나고, 이렇게 친구만큼 좋은 풍광을 만나고 나니 마음이 온통 너그러워졌다.

그리고 작아진, 어쩌면 원래 작았을 나를 생각해 본다. 열심히 살아야 하건만 나태에 빠져 체중도 많이 불고 스스로 관리도 안 되는 그런 사람이 되어 있다, 요즘의 나는.

그간 너무 쉼 없이 달려온 날들이다. 늦잠 자는 소원을 빌게 아니라 잠시를 자도 달게 자는 소원을 빌어야겠다.

어느 것 하나 제대로 하는 것 없이 가짓수만 많은 기사식당 반찬 마냥 살아서는 안 되겠다.

잊어야지
잊는다 말하지도 말고 잊어야지
저녁 빨갛게 흩어진 노을마냥
한번은 붉게 울어버리고, 잊어야지

처음부터 없었더라면
잊을 필요 없었을 것을
있는 것을 잊으려하니
깊게 파이는 가슴만 욱신거려

잊는다 한들
잊으려고 한들
잊혀진다 한들
있는 걸 어쩌란 말인가

-이세일, 시집 '사랑의 끝에서' 中 '잊는다 한들' 전문

그래 한번은 이렇게 붉게 울어버리고, 다시 힘을 내야겠다.

2014년 7월 31일

#노을 #태풍전야 #욕심없이살아야지 #한번사는삶죽도록열심히살자
#아무리버둥거려도결국그자리인것을 #귀염둥아귀염둥아내귀염둥이들아

가을의 문턱

-여름과 가을 사이

원래 수다스러운 걸 좋아합니다. 그러니 이 글을 읽으시는 동안에는 김광석님의 노래를 배경 음악으로 틀어두시면 좋겠습니다.

수다는 삶의 묘약 중 하나입니다. 나이가 들면서 남성호르몬보다는 여성 호르몬이 더 많아지나 봅니다. 대충 오십 대가 되어서야 그렇다는데 저는 이미 열 셋부터 그래왔습니다. 그래서 서른의 중반을 넘기고선 '반은 아저씨, 반은 아줌마'입니다.

그래서 멜론에서 듣는 깨끗한 음원도 좋지만, 뭇사람들이 손 떨어가며 찍은 유튜브 영상과 음악을 더 좋아합니다. 거기엔 아마도 찍은 사람의 떨리는 심정과 헤매는 청춘도 담겨 있을 것이기 때문입니다. 그리고 다른 음악들 보다 훨씬 몰입이 잘 됩니다. 유튜브를 열기가 겁나기도 합니다. 한번 열면 꼬리에 꼬리를 무는 노래들 덕에 몇 시간쯤은 우습기 때문입니다.

우연히 유튜브에서 찾은 김광석 형님의 수다 떠시는 영상과 음악도 그래서 좋습니다. 돌아가신지 오래되었음에도 마치 그냥 곁에 있는 느낌을 주어서 그래서 좋습니다. 웃기지도, 그렇게 특별하지도 않은 저 담담한 목소리에서 삶의 진정성을 혼자 막 느끼기도 합니다. 그런데 저 특별하지 않은 수다 속에서 버릴 말은 한 마디도 없습니다.

I knew if I stayed around long enough,
something like this would happen.

1925년에 노벨문학상을 수상한 세계적인 극작가이자 평론가였던 조지 버나드 쇼(Shaw, George Bernard)의 묘비에 쓰인 문구입니다. 본인은 가면서까지 위트를 더했지만 세상에 널리고 널린 저 같은 평범한 사람들에겐 송곳 같은 비수가 되기도 합니다.

뭐랄까요? 맨날 내 인생은 내 것이라고 외치면서 대부분 자신의 삶에서 주인공이 아닌 조연을 살다 갑니다. 버나드쇼 같이 대단한 사람도 이렇게 말하고 떠났는데 우린 어떤가요? 그렇게 대단한 삶을 살고 있는 것도 아닌데 매일 숨 막히는 경쟁의 연속입니다. 그리고 집에 들어와 눈을 감을 땐 내일 또 시작될 하루라는 경쟁의 무대를 걱정해야 하는 주인공이지만 주인공이기를 거부하는 삶의 쳇바퀴에 갇혀있습니다.

그런 의미에서 보면 저 역시 맨날 내 심장이 시키는 대로 살라고 떠들지만 결국 저에게도 '나의 삶'이란, 나이 마흔에 장만하려고 마음먹은 빨강 포르쉐보다도 더 불가능한 어떤 것이 아닌가 하는 생각도 듭니다.

김광석 형님의 노래를 찾아 유튜브 기행을 떠난 이유는 지난주 어느 날의 퇴근길 때문입니다. 그리고 특히 노래 '서른 즈음에'를 듣노라면 애잔한 감성이 남자의 가슴 저 깊은 곳에서 솟아 올라옵니다. 매일매일 버나드쇼의 묘비 문구를 실천하면서 살고 있는 저에게 '서른 즈음에'는 그토록 아팠던 서른앓이의 치료제이기도 했고, 지금은 서른앓이와 시간의 흐름을 놓쳐버린 주변 친구나 후배들에게 놓는 삶의 진통제이기도 합니다.

어떻게 보냈는지도 모르고 퇴근하기 위해서 서둘러 차를 몰아 학교를 빠져나와 막 마을을 벗어나서 큰 길로 진입하는 길에서 브레이크를 세게 밟았습니다. 야생동물이 뛰어든 것도 아니고, 앞 차가 급정거를 한 것도 아닙니다. 그냥 시야에 이런 풍경이 들어왔습니다.

스마트폰으로 찍은 사진입니다. 집 옷장 위에서 서류 날아가지 않게 누르는 추로 쓰고 있는 DSLR을 가져 오지 않은 게 이 순간만큼은 참 아쉬웠습니다.

어느 시인의 말처럼 사진을 찍는 건 셔터 소리로 장면을 살해하는 것이라던 이야기에도 맞장구를 치긴 했지만 이 날 만큼은 사진으로 꼭 간직해 두고 싶었습니다. 그리고 사진을 찍고 나서는 그 자리에서 180도를 돌아서 다시 사진을 찍었습니다.

처음 사진은 학교에서 집으로 가는 방향이고, 두 번째는 집에서 학교로 가는 방향입니다.

햇빛의 방향 때문에 사뭇 분위기가 다르지만 이 두 장의 사진엔 '가을'이 들어 있습니다. 이 날 찍은 두 장의 하늘 사진과 더불어 저에게는 몇 가지의 하늘이 있습니다. 좋은 사람과 함께했던 제주의 여름 하늘, 해남을 지나가는 18번 국도의 봄 하늘, 그리고 우리 집 테라스에서 바라보는 우리 동네의 겨울 하늘입니다.

모든 하늘엔 계절이 담겨 있습니다. 그리고 문득 쳐다본 하늘을 통해서 시절과 시간이 지나 가는 소리를 듣곤 합니다. 그런데 요즘은 일이 바쁜 건지, 아니면 심신이 지친 건지 시간이 가는 줄을 몰랐던 겁니다. 정말 경쟁의 쳇바퀴 속에서 이유도 모르고 뛰다 보니 거기가 거기고, 그 시절이 그 시절 같았나 봅니다. 뭘 한 것도, 하는 것도 없으면서 계절이 가는 줄, 계절이 오는 줄도 모르고 있습니다. 버나드쇼는 알았던 겁니다. 저 같은 널리고 널린 이들의 덧없고 의미 없는 일상의 연속에 대해서요.

유난히 비가 많던 올해 여름이 이렇게 지나가고 있습니다. 하늘이 저렇게도 높아지고, 세상의 초록은 노랗게, 빨갛게 그리고 저렇게도 파랗게 물들어 가는 시절이 성큼 와서 똑똑똑 노크를 하고 있는 것입니다.

창밖을 보다가

일 년을 돌아
다시,
꼬리 길게 내 앞에.

색 바랜 러브레터
곱게 접혀진 마음과 카터 끝 같은 그리움…….

하루 물러서면 이틀씩 다가와서는
와락 끌어안고 몸서리치게 입 맞추고.

지랄같이 엉킨 생각 비집고
가을, 문턱이구나

-이세일, 시집 '사랑의 끝에서' 中 '계절의 문턱' 전문

이게 서른 몇 번째 가을입니다. 서른 몇 번의 봄과 여름을 지나 다시 가을입니다.

아직 낮에는 덥지만 아침저녁으로는 가을이 어깨를 타고 돕니다. 하늘이 가을을 손짓하는데 욕심 많은 빗줄기만 아직도 안 가려고 버텨서 다음 손님인 가을을 못 오게 합니다.

아직 수확하지 못한 벼 낱알도 여물지 않고 있습니다. 지금쯤이면 가을의 들판이 점점 노랗게 물들어야 하는데 올해는 욕심쟁이 빗줄기 덕에 아직도 초록입니다. 계절의 안과 밖 손잡이를 여름과 가을이 서로 부여잡고 힘겨루기를 하지만 비공식 심판인 저는 가을의 손을 들어주고 싶습니다.

가을이 오는 줄도 모르고 달려온 여름이었습니다. 딱히 뭘 해놓은 것도 없는 시간인데 부스럭부스럭 소리만 요란했습니다.

'서른 즈음에'의 가사처럼 세월은 다시 돌아오지만 어느 것도 그대로인 것은 없고, 내가 떠나온 것도, 내가 떠나버린 것도 아닌데 해마다 돌아오는 조용한 가을 앞에서는 한없이 반성하게 됩니다. 그저 또 하루가 멀어져 가고, 또 어느 샌가 꼬리를 물고 세찬 바람이 들이칠 것입니다. 그래도 그때를 생각하며 지금은 가을의 문턱에 있습니다.

아무리 바쁘고 심신이 저려도 돌아오는 나의 계절에는 여유롭게 맞이할 수 있는 '나의 삶'이 온전했으면 좋겠습니다. 이 글을 써내려가는 지금 시점의 '나'는 퍽도 센티합니다. 이 늦은 밤, 누군가와 수다를 떨고 싶다는 생각은 왜 드는 걸까요. 가을의 문턱에서 다시 삶의 고삐를 부여잡습니다.

2014년 8월 30일

#가을 #하늘 #계절 #문턱 #정말반은아줌마네 #뭐라고써놓은건지부끄럽게

고추 빻기

-매웠던 가을의 가루

한 동안 글을 쓰지 못했습니다. 어느 순간에도 글을 써야겠단 생각만 있지 의지가 항상 부족하네요. 5월 이후론 아무런 의지가 없습니다. 어느 날 갑작스레 무중력 공간에 있는 것처럼 무의지의 시공간에 둥둥 떠다니고만 있습니다. 그 사이 몸무게는 더 늘어 건강을 위협할 만큼 되었는데도 이제는 그저 귀찮기만 합니다. 여러 가지 외부 자극들이 최근 심해지고 있지만 그것에 반응하기 보다는 그냥 체념해 버리는 나날들이지요. 왜 이렇게 되었는지 정말 모르겠지만 이 시간 또한 지나가지 않을까 합니다.

오늘은 그동안 미루고 미루던 고추를 빻으러 방앗간에 다녀왔습니다.

막 물레방아 이런 게 떠오르긴 하는데요, 제가 살고 있는 시골에도 이제 그런 건 없습니다. 그런 건 민속촌 같은 곳을 가야 있는 겁니다. 해마다 그냥 시골장이나 아는 사람 통해서 알음알음 고추를 구입하고 또 주변에서 고추 빻을 때 비용을 지불하고 맡겨왔습니다. 이른바 나보다 더 잘하는 사람이 있으면 그 사람에게 맡기는 아웃소싱이지요. 그런데 올해는 어쩌다보니 좀 늦어져서 직접 하게 되었습니다.

SNS를 통해서 친구 어머니께서 온라인으로 고추를 판매하신다는 이야기를 알고, 친구 녀석에서 전화를 걸어 친구 어머니께 직접 구입하러 다녀왔습니다. 역시나 고추 때깔이 다릅니다. 잘 말려지고 깨끗해서 한눈에 보기에도 너무 좋은 상태의 고추였습니다. 이미 말려진 상태였지만 며칠간 집 테라스에 널어서 가을볕에 바짝 더 말리고 꼭지를 따고 씨를 털어두었다가 드디어 방앗간으로 직행했습니다.

방앗간에 간다고 하니 우리 둘째와 셋째 딸이 방앗간에 한 번도 가본 적이 없다며 따라 나섭니다. 실은 저도 어릴 적 동네마다 있던 거대한 바퀴가 벨트를 타고 돌아가는 방앗간이나 정미소를 가본 기억 말곤 처음이었습니다. 그래서 조금은 긴장하며 방앗간에 갔는데 생각보다 작은 공간에 대부분의 과정이 자동화되어 기계가 방앗간 일을 거의 다 하고 있었습니다.

그래도 요즘 한창 고추를 빻는 시기라 그런지 방앗간은 온통 미세한 고춧가루가 돌아다녀서 흡사 최루탄 냄새를 맡는 듯 했습니다. 대학 신입생 때 잠깐 마셔본 최루탄 가스가 떠오르다니 얼마나 매웠는지 모릅니다. 방앗간 구경에 신나하던 우리 집 딸들은 고추 빻는 공간에선 더 이상 못 버티고 저기 고소한 참기름 짜는 곳에서 구경합니다.

대부분이 기계이긴 하지만 마지막에 기계를 통해 빻아진 고추를 더 부드럽게 빻는 절구통 같은 곳에서는 기계가 절구질을 하긴 하지만 사람이 쭈그리고 앉아 계속 골고루 섞어주어야 했습니다.

주걱으로 부지런히 섞고 저어주어야 더 곱고 예쁜 고춧가루가 됩니다. 저 앞에 목욕탕 의자를 두고 그 위에 앉아서 주걱을 들고 20여분을 섞어주었습니다. 어찌나 매운지 모릅니다. 곱게 빻기만 하는 게 아니라 저 절구통에 열선이 설치되어 있어서 고춧가루에 섞인 수분을 날려주기 때문에 더 맵게 느껴집니다. 그 의자에 앉아서 고추를 저어주면서 많은 생각을 했습니다.

요즘 내 삶의 시간들이 왜 이다지도 시리고 매운지 말이지요. 그리고 왜 이렇게 무의지의 삶인 지도요. 그리고 언제나 답을 알면서도 지금까지 방어기제를 발휘해서 회피해왔던 정해진 답과 마주할 수밖에 없었습니다.

아주 간단한 문제였습니다. 그리고 맵다는 핑계로 좀 울었습니다. 사나이 대장부가 참 울 타이밍이 없습니다. 그래서 오늘은 고추의 매운 기운을 핑계 삼아 좀 울었습니다.

이제는 이런 삶의 힘겨움을 부르는 문제를 피하지 않고 대면하기로 했습니다.

그리고 시골살이에 익숙해진 스스로를 발견했습니다. 조금이라도 도시로 떠나볼까 항상 고민해왔는데요, 이제는 그런 생각 자체를 내려놓으려고 합니다. 우리 집 아이들이야 때가 되면 도시든 어디든 자신의 삶의 방향에 따라 움직이겠지만 저는 이제 시골에서 이렇게 조용하게 사는 것에 마음을 굳혔습니다.
그냥 이렇게 때 되면 고추 빻고, 햇곡식을 즐기는 이런 삶을 살아야겠습니다. 누구에게나 맞는 공기가 있는 법이니까요. 어느 결엔가 나이를 먹고 있고 생각도 이젠 구식이 되어갑니다. 다만 줄지 않는 욕심만 비워내면 멋진 인생도 가능할 듯합니다.

가을 아가씨가 뿌리는 가을 가루라는 우리 둘째의 멋진 표현처럼 그저 해마다 돌아오는 가을처럼 매년 그저 그렇게 돌아오는 삶의 모습을 받아들이고 편해지려 합니다.

고추 가루가 이렇게 맵고 힘들게 만들어 지는지 몰랐습니다. 해보니 정말`그 고마움을 알겠네요. 방앗간에서 열심히 할머니들의 요구 사항을 들으며 열심히 일하는 두 청년의 말처럼 항상 고맙게 생각하며 먹어야겠습니다. 올해는 특히 직접 고추를 빻아 고춧가루를 만들었으니 빛깔고운 고춧가루로 맛난 음식 많이 만들어 먹어야겠습니다.

2015년 9월 19일

#고춧가루 #방앗간 #맵다 #최루가스 #방앗간나들이
#세상살이가인생살이가고추보다맵다매워

기다림의 조각
-눈을 밟다

세상에 기다림의 조각이 뿌려진다.

열일곱 되던 해 첫눈이라는 제목으로 시 한 편 써내려 간 적이 있다. 그 시의 첫 구절이 '기다림의 조각이 세상에 뿌려진다'였다. 그러나 아쉽게도 어디에서도 원본을 찾을 수가 없다. 글을 쓰면 항상 작은 파일에 원본과 퇴고 본을 모아두는 습관을 가진 약간은 소름끼치는 꼼꼼함을 가진 나지만 몇몇 글들은 정말 기억 속에서만 존재 할 뿐 찾을 길이 없다. 그 시를 쓰던 날도 눈이 참 예쁘게 내렸더랬다.

바람 하나 없이 말 그대로 펑펑 내렸다.

열일곱 때면 벌써 몇 년 전인가. '벌써'라는 단어를 써야 할 만큼 긴 시간이 지나버렸다. 그 날 저녁 그 시를 연습장에 적어두고는 이런 날이면 나와 함께 주체할 수 없는 감동을 즐길 준비가 된 친구 몇몇과 야간자율학습에서 빠져나와서 여자고등학교 마당으로 놀러갔더랬다. 내가 사모하던 동갑내기 여학생은 그 시간에 미술실에서 그림을 그리고 있겠지하며 미술실을 넌지시 바라보았다.

지금은 건축학도가 되어 있는 그 여학생은 10년을 만나면서도

단 한 번도 이젤 앞에 서있는 모습을 보지 못했다. 정말보고 싶던 모습이었는데. 수년간의 아픔 끝에 지금은 세상이 내게 등을 돌리더라도 내겐 든든한 후원자가 되어줄 둘도 없는 동무가 되었다. 그 동무도 어디선가 이 눈을 보고 있을 것이다.

눈이 내린다.

더 거슬러 올라가면 '비료포대'의 추억이 나를 간질인다. 유치원을 휘저으며 우리 동네에서 울보로 소문이 자자하던 내가 동네 형, 누나들과 어울려 유일하게 놀림을 당하지 않았던 시간은 눈 내리던 날이다. 기억 어디쯤 더듬다 보면 모두 떠올릴 수 있을 것이다. 두꺼운 비닐로 된 거북선표 요소비료 포대. 기억이 나는가. 혹 도시에서 나고 자란 사람이라면 모를 수도 있다.

비료포대 한 장이면 지금의 나를 있게 하신 집안의 선산, 증조부의 묘소는 수백 년 후 손자들의 눈썰매장이 된다. 지금 눈썰매장은 아무것도 아니다. 그 넓은 선산의 묘 사이를 휩쓸고 내려오는 그 경이감은 지금도 소름이 돋을 정도다.

살아있다는 것과 그렇지 않은 것 사이엔 아무것도 없다. 그네들도 나 어릴 적처럼 매일 어설프게 엮어 만든 연 한 장을 들고 매일 찾아오지는 않더라도 종종 눈 오는 날, 내 무덤을 찾아 내 무덤 위를 뛰고 구르며 즐거운 웃음을 눈꽃처럼 뿌려주었으면 좋겠다.

손이 시리다.

이맘때는 대학입시의 시간이다. 중학생에게는 고등학교의 진학을 위한 기간이기도 하고, 형편이 어려운 사람들에게는 날씨만큼 시린 시간일 것이다. 크리스마스트리에 휘청 이도록 번쩍거리는 장식품을 달고 행복해하는 이들의 마음을 곡해하는 것이 아니라 그 마음을 나누고 싶음이다.

중국에서 나비가 날개를 펄럭이면 뉴욕에 허리케인이 인다는 사실을 믿는가?

나는 오늘도 나의 작은 몸부림 하나로, 나의 작은 말 한마디로 이 세상이 변할 수 있다는 믿음을 가지고 산다. '계란으로 바위치기'란 속담이 있다. 그게 어떻단 말인가. 낙숫물이 주춧돌을 뚫는 것이고 티끌모아 태산인 것이다. 내가 가르치게 될 보물들에겐 그렇게 가르칠 것이다. 계란으로 바위를 깨트릴 수 있다는 그 경이로움을 가르칠 것이다.

눈을 밟다.

누구나 한번쯤 아직 아무도 발자국을 찍지 않은 눈 위를 걸어본 적이 있을 것이다. 없다면 세상사는 즐거움의 하나를 아직 누리지 못한 것이니 눈 오는 좋은 날을 골라 어느 학교 운동장에서 기다려 섰다 한번 밟아 보라.

그 위를 걷다가 어디쯤에서 우뚝 멈춰 서서 뒤를 돌아보라. 그럼 거기엔 내가 걸어온 발자국이 찍혀 있다. 그리고 그 발자국이 시작된 그 첫머리도 있다. 하지만 그 처음에 서있던 나와 얼마를 걸어 뒤를 돌아보고 있는 나는 이미 그 시작점의 내가 아닌 것이다.

사는 것도 그런 것이다. 굳이 부정할 필요가 없다. 사람은 변한다. 몇 발자국 걷지 않은 눈길 위의 나도 이리 다른데 사는 동안 몇 십 년의 일상은 어떻겠는가. 고민하지 말고, 다만 그 새하얀 눈길을 걷는 그 황송한 축연을 누려보자.

그리고 약속을 한 가지 해보자. 눈꽃 날리는 오늘처럼 내년 이 시간에 다시 여기 서있을 더 나은 나를 말이다.

2002년 12월 11일

#첫눈 #첫눈에대한추억이참많다 #발자국
#사람이변하는게아니라그저시간이흐를뿐

시간이 만드는 것들

-아름다운 기억으로

대학 4년 동안 학기 중엔 생활비, 방학이면 등록금 마련을 위한 아르바이트를 하며 대학생만이 누릴 수 있는 수백 가지 일들 중의 거의 대부분을 해보지 못한 나는 무척이나 억울하다. 기껏해야 등에 책가방보다 약간 큰 배낭하나 메고 걸어서 전라도 여기 저기 돌아본 것이 전부다. 낭만-하지만 대학이 이 단어의 진정한 의미를 잃은 지는 오래된 듯하다-이 서린 대학에서의 마지막 방학인 이번 겨울방학만큼은 진정 즐겨보리라 다짐을 하고 방학을 맞았다.

그러나 어디 삶이란 게 그리 호락호락하던가. 뉴턴이 해변에서 조개를 줍는 것과 같다던 겸손함으로 남기고 간 관성의 법칙처럼 늘 일을 해왔던 내 몸과 마음은 일을 원했다. 친구의 소개로 학원 영어강사 자리를 구했다. 학원 강사. 평생을 선생님으로 일하게 될 학교하고는 다르겠지만 아이들을 가르치는 일이라 생각하나 꽤나 설렜다. 그리고 그 기대만큼 내내 즐거운 나날들이었다.

하지만 내내 즐겁던 학원 생활도 뭔가 변화가 생기고 있었다. 심상치 않은 분위기와 느낌이 학원에서 있기로 한두 달이 거의 끝나갈 무렵부터 생겨나기 시작한 것이다. 일종의 레임덕 현상이라고 할까. 학원 학생들도 그렇고 원장 선생님의 태도도 왠지 모르게 이제는 갈 사람이라는 느낌을 절실하게 안겨주기 시작한 것이다. 말 한마디 한마디가 시리도록 가슴에 꽂혔고, 학원 사람들의 행동 하나 하나는 왠지 모를 무성의함이 담겨가기 시작한 것이다.

사람은 첫인상이 중요하다고 한다. 그런 면에선 난 참 손해가 많다. 금방 위축되어 버리고 마는 나이기에 학원 원장선생님이나 학원 학생들의 행동과 말 한마디 한마디가 부담이 느껴지고 실망감이 쌓이기 시작한 것이다.

시간이 만들어 주는 선물.

헤어진 지 오래된 친구를 길에서 우연히 만나 느끼는 반가움, 오랜 시절 잊고 지낸 선생님과 첫사랑의 얼굴을 졸업앨범을 꺼내보다 발견했을 때의 그 경이롭고 애틋한 그리움, 생각해 보면 이루 헤아릴 수가 없다.

그럼에도 양날의 칼마냥 처음에 주었던 레몬 같던 그 상큼한 첫인상에 대한 날카로운 기억은 점차 희미해지고, 익숙함과 나태함에 몸이 젖어 물먹은 화장지 마냥 흐느적거리게 하기도 하는 것이다.

아주 어릴 적에 '주현미'라는 트로트 가수가 '잠깐만'이라는 제목의 노래를 한창 히트시킨 적이 있다. 어린 내게도 신나고 귀에 착착 달라붙는 멜로디가 너무나 좋았었다.

그렇게 나이가 들고 아련한 첫사랑과 시린 첫 키스의 추억을 남긴 사랑을 떠나보내고, 철이 들 무렵 다시 들은 그 노래는 내 눈시울을 붉게 만들었다.

'만날 때 아름다운 사람보다는 돌아설 때 아름다운 사람이 되자'

돌아서는 사람의 마음이 어떤지, 그 모습을 바라보는 사람의 마음이 어떤지, 겪어본 사람만이 안다. 사랑 못해본 사람들은 애틋한 사랑보다는 멋진 이별을 생각해야 한다. 세상에 어려운 일이 헤어지는 일이다. 그것도 아름다운 헤어짐은 적어도 내 경험 안에서는 정겨운 사랑보다 더 힘든 일이었다. 오래된 연인일수록 방심하지 말고 서로의 날카로운 첫인상이 희미해지기 전에 덧칠을 해야 할 필요가 있다.

그렇게 시간이 만드는 수많은 것들 중에서 며칠 동안 나를 괴롭힌 건 서로에 대한 첫인상의 상실이다. 처음으로 학원에 가는 날, 거울을 열 번도 넘게 들여다봤다. 학생들에게 조금이라도 좋은 인상을 주기 위해서였다. 학생들이 처음 나를 맞던 그 눈빛 속엔 긴장감과 설렘이 담겨 있었다.

그러나 한 달도 채 못 되어 거울 보는 횟수는 점점 줄어들었고, 학생들의 눈빛도 나보다는 책상 밑에 숨긴 만화책으로 옆에 앉은 학생과 나누는 연예인 이야기로 흩어져 갔다.

누구도 원망하지 않는다. 사람 사는 게 이런 것임을 여러 차례의 경험으로 예방접종처럼 익히 몸으로 느꼈으니까.

설렘과 상큼하던 첫인상을 끝까지 지켜내지 못한 서로의 모습이 아쉬울 뿐이다. 오늘 마지막 수업을 하고 학원을 빠져나와 한참을 걷다 고개를 돌려 학원을 바라다보았다. 그리고는 학원을 향해 가벼운 웃음 한 모금을 선물로 안겨주었다.

나이가 들어가는 것은 뻔뻔함을 몸과 마음에 쌓아가는 것이라 생각한다. 그 뻔뻔함은 이별을 아름답게 하고, 그리움과 애틋함을 만들어내는 원동력이다.

마음속에 빗물처럼 쏟아져 내리는 눈물을 얼굴에서 웃음으로 뿌릴 수 있는 그 뻔뻔함은 시간이 만들어준 또 다른 선물일지 모른다.

2003년 2월 3일

#시간 #시간이주는선물 #새로운것에속아익숙한소중한것들을놓치지말아야한다 #주현미아줌마짱 #만날때보다는돌아설때아름다운삶을살자

돈 내는 연습

-오늘은 내가 쏜다

나이가 한살 두 살 늘어가다 이제 어느덧 이십대의 중간 어디쯤에 와있다. 친구들은 다들 군대를 제대하고 대학에 복학을 하거나 일찍 대학을 마친 친구들은 벌써 사회인이 되어 각자의 자리에서 소리 없이 자기 몫들을 해내고 있다. 고등학생 때는 숨어서 만들던 술자리도 이제는 자연스럽게 사는 이야기를 풀어가는 좋은 기회가 된다.

그래도 아직 학생인 친구들은 학생인대로 주머니가 허전하고 사회생활을 하는 친구들은 친구들대로 주머니가 여유롭지 못하다. 그렇다 보니 그 좋은 술자리가 끝나고 계산을 하기위해 카운터에 가게 되면 친구들끼리 작은 소란이 일어난다. 고등학생 때는 어떻게든 돈을 안내보려고 갖은 얌체 짓을 하던 친구들이 이제는 앞장서서 술값을 내겠노라고, 커피 값을 내겠노라고 고집을 부린다. 가끔이 이런 모습들에 내가 이제는 어른이 되어가는 작은 변화를 느끼기도 하고 이 녀석들과 함께할 내 남은 생에 대한 작은 희망도 갖게 된다.

돈 몇 푼에 이런 생각하는 내가 약간은 소심해 보일지도 모르겠다. 하지만 이런 상황을 겪어본 이들이라면 이런 상황에서 느껴지는 그 인간미 넘치는 다툼이 얼마나 행복한지 알 것이다. 친구들이 계산을 했다. 그리고 나는 계산을 하는 친구들을 제외한

무리에 속해서 속절없이 계산하는 것을 바라보곤 한다.

내 주머니가 비어있어서도 아니고, 그렇다고 돈을 내기가 아까운 것도 아니다. 다만 그런 다툼을 해야 할 적절한 때와 또 어떤 모습으로 돈을 내밀어야 할지가 아직까지도 민망하다.

사회생활을 먼저 한 친구들의 모습은 여유가 있다. 아직은 대학생인 친구들도 마찬가지다. 이제 대학 졸업을 눈앞에 둔 내가 왜 이리 어벙벙한지 가끔은 작은 투정을 하게 된다. 친구들끼리 마신 거피 몇 잔, 소주 몇 병 값이래야 겨우 몇 만원이다. 하지만 그 때를 적절하게 찾는 것은 결코 쉬운 일이 아니다.

새삼스레 돈 내는 연습을 해야지 라는 생각이 든다. 내가 아끼는 사람들이 마신 커피 몇 잔과 소주 몇 병의 그 고마운 향연을 한번쯤 내가 차려주고 싶다는 생각이 든다. 요즘은 일부러라도 계산을 하는 연습을 한다. 친구들하고 떡볶이 몇 개를 먹더라도 아주머니께 농담도 건네면서 연습 삼아 자연스럽게 계산을 해본다. 물론 그렇게 돌아서서 느끼는 행복함은 느껴본 이들만 알 것이다.

집안 형편이 어려워 친구들과의 만남도 마음 편하게 하지 못하던 시간들에 대한 작고 즐거운 복수인지도 모르겠다. 주머니에 단돈 몇 백 원을 담고 다니며 배를 곯던 그 시간을 생각하면 지금은 너무나도 꽉 찬 하루하루다.

내가 친구들과 마음 편하게 소주 몇 잔을 기울일 수 있는 이 여유를 갖기까지는 그야말로 대하드라마일거다. 삼류 영화 같은 일이 내게 일어난 후 돈 백 원의 아쉬움을 알게 되었고 이런 날을 얼마나 기다려왔는지 모른다.

대학교 신입생 때 찾은 초등학교 담임선생님댁 식탁 유리받침 밑으로 깔린 30개가 넘는 선생님의 하루 생활 수칙 중에 이런 게 하나 있었다.

'오늘 내가 돈을 아끼지 않으면 내일은 다른 이들에게 손을 내 밀어야 한다.'

삼년 넘게 심장 한편에 새겨두고 다니던 말이다. 남들보다 잘 살기 위해서가 아닌 오늘 내가 배고프지 않기 위한 하루가 얼마나 힘든지 차마 말로는 이야기 할 수 없다. 어렵게 되찾은 이 작은 하루의 여유를 자꾸만 누군가에게 자랑하고 누군가와 나누고 싶다.

친구들을 만나 우리네 이야기처럼 소리도 없이 부풀어 오르는 거품이 담긴 맥주 몇 잔을 들이키고 악을 써가며 노래를 부르고 손을 흔들며 헤어져 집으로 돌아오는 길에 생각을 차곡차곡 접어보았다. 그리고 사람 사는 건 이렇다는 생각이 들었다. 항상 내리막만 있는 것도 아니고 항상 오르막만 있는 것도 아니라는 사실을 말이다.

주머니가 비어도 마음은 부자로 살고 싶다고 외치고 살았지만 정작 그러지 못하고 속 좁게 살던 지난날을 꿀꺽 삼키고 친구들을 위해서 술값, 커피 값을 계산하는 연습을 하는 여유를 부리는 내가 너무나 좋다.

우리네 삶은 삼각함수의 사인 그래프다. 외롭고 곤해도 절대 힘들어 하지 말자. 지금 최솟값에 다다른 우리의 하루가 내일은 그래프의 정점에 가 있을지도 모르니.

2003년 1월 17일

#돈 #경제관념 #그래도정이우선이지 #돈을벌수있다는게얼마나축복인지몰라

거울 이야기

잔소리

-불치의 병

“당신이 이 세상에서 두 번째로 잔소리가 심한 사람이야.”

“두 번째? 그럼 첫 번째는 누구야?”

“우리 엄마.”

어느 TV드라마에서 잔소리가 심한 아내를 두고 남편이 이렇게 한마딜 했더랬다. 어머니와 아내는 이 세상에서 잔소리를 가장 잘 하는, 아니 가장 많이 하는 사람일거다. 물론 우리 집은 그 양상이 조금은 다르다.

우리 집에서 잔소리를 가장 많이 하는 사람은 바로 나다. 어머니의 아들이자, 아내의 남편이자, 아이들의 아버지인 바로 나다.

내 누이는 탁월한 작명센스를 발휘해서 내게 ‘잔소리 대마왕’이라는 별명을 붙여 주었다. 이런 무시무시한 별명을 달고 살고, 때론 그 정도가 지나쳐 주변인들을 참으로 힘들게 하며 살고 있다. 이런 나의 이상하리만치 심한 잔소리 병을 가족들은 각각의 자신이 가진 도식을 통해서 분석해내곤 한다.

먼저 어머니께서는 ‘직업병’이라는 말씀으로 자신의 분석을 설명하신다. 초등학교 교사인 내가 아이들하고 지내다 보니 자연스럽게 과할 정도로 잔소리를 하는 것일 것이다. 일견 전혀 상관없는 말씀은 아닌 듯하다.

다음 아내의 분석은 이러하다. 사람마다 다 자기 나름의 생활방식이 있는 것인데, 내가 너무 내 방식대로 다른 사람들을 끌어들이기 위해서 잔소리를 한다는 것이다. 어머니의 분석에 이어 아내의 분석도 역시 수긍이 가는 면이 있다.

마지막 내 누이의 분석은 또 이렇다. 아무래도 내가 아이들하고 있는 시간이 많다보니 잔소리의 대상을 구분하지 못하고 주변 사람 모두에게 잔소리를 한다는 것이다. 예전 학교 다닐 때 선생님처럼 말이다. 역시 어머니의 분석과 통하는 것이 많다.

그네들의 분석을 들으며 나는 수긍 내지는 인정을 안 할 수가 없다. 다 맞는 말이다. 정말 내가 생각해도 주체할 수 없을 만큼 잔소리 병을 앓고 있다. 나 스스로도 얼마나 많은 고통의 시간과 생각의 시간을 보냈는지, 아니 보내고 있는지 모른다. 때론 이런 불치의 병으로 인한 스트레스로 짜증이 하늘을 찌르는 날도 있고, 또 때론 너무 우울해서 모든 의욕을 상실하기도 한다.

일요일에 가족들과 점심식사를 하면서 우연히 보게 된 TV프로그램에서 유명하고 카리스마 있는 개그맨 이경규라는 사람이 공황장애를 앓고 있으며 치료중이라는 이야기를 듣게 되었고, 그에게서 나타나는 증상들이 내 것과 유사한 것이라는 걸 알게 되었다.

마치 우화에 나오는 광대의 우울증이라고나 할까.

병원을 찾을까 하는 생각이 들 정도로 힘들었던 적도 있지만 견뎌 보려고 무던히 노력중이다. 왜냐하면 이미 아주 오래전부터 무엇인지 정확하게 실체를 확인할 순 없었지만 내가 잔소리를 멈출 수 없는 이유를 예전부터 본능적으로 느끼고 있었기 때문이다.

사람에게나 동물에게나 '본능'은 항상 생존과 연결이 되어 있다. 굳이 매슬로우의 단계를 거론하지 않더라도 나는 살아야 했다.

그 시작점은 아버지가 돌아가신 해 가을이다.

고등학생이던 시절, 나는 시를 쓰고 읽으며, 수필에 울고 웃는 그런 감수성 예민한 문학소년 고등학생이었다. 좀 더 냉혹하게 말하자면 아무런 준비도 없이 부모에게 의지해서 대학이라는 목표를 움켜쥐고 있던 여느 수험생과 다를 바 없었단 거다.

아버지께서는 정말 제대로 된 인사도 나눌 틈이 없이 세상을 떠나버리셨다. 그저 돌아가신 아버지를 붙들고 남은 인사는 내가 해야 했을 정도로 급작스럽게 돌아가셨다. 물론 주변에서 쉬쉬했지만 드라마도 아닌 현실에서 그 사실을 모를 리가 없었다.

그 당시 나는 아버지가 돌아가신 것보다 더 걱정되는 게 있었다. 그건 바로 남은 우리가 아무 준비가 되어 있지 않다는 것이었다. 평생을 전업주부로 살아오신 어머니와 중학생이던 누이, 그리고 고집 세고 나약했던 나까지. 아버지의 장례가 끝나고 다시 모여 앉은 아침 밥상에서 우리는 목 놓아 울 수밖에 없었다. 어머니께서는 이제 세 명뿐인 가족임에도 여느 날처럼 네 개의 밥그릇에 밥을 담아내신 것이다. 우리가 아직 준비가 되어 있지 않다는 극명한 증거였다.

슬픈 영화처럼 우리 가족은 경제적 나락으로 빠져들고 있었다. 소설은 있을법한 현실의 허구를 담아낸다던 문학 선생님의 이야기처럼 우리 집은 있을법한 모든 일이 일어나고 있었다. 늘 가장의 죽음을 뒤따르는 채무, 보증, 압류, 이사. 이것에 더해 많은 일들이 불과 몇 개월 동안 우리를 모두 훑고 지나갔다.

그때부터가 시작이다. 나는 동생에게 공부밖에 살길이 없음을 세뇌시키기 시작했다. 지금 생각해보면 그래도 그 당시는 지금보다 교육사다리가 힘을 발휘하던 시기였다. 공부해야 했다. 그것 말고는 이 가난을 벗어날 방법이 없었던 거다. 누이에게 참으로 억세게, 혹독하게 잔소리하며 공부를 하게 했다. 물론 그 와중에 내 공부 역시 놓을 수가 없었다. 어머니께도 불효인줄 알면서 독한 말들로 다 털고 일어나시게 해야 했다. 종교가 있으신 어머니께서는 나보다 먼저 털고 일어나셨다.

그마나 대학은 등록금이 거의 없는 곳에 진학하게 되었고, 대학 진학 후에는 또 삶을 위해서 뛰어야 했다. 지금은 웃으면서 이야기할 수 있지만 그 당시에는 정말 닥치는 대로 일을 했다. 오후 강의를 들을 때쯤이면 늘 졸 수 밖에 없는 날들이 이어졌다. 그런 와중에 매일 전화로 누이에게 잔소리를 해댔고, 어머니께도 잔소리를 늘어놓았다.

그리고 결혼을 하고 난 후 더욱 강도 높은 잔소리를 아내에게 하기 시작한 것이다. 사실 나 스스로도 놀랐다. 왜 이렇게 잔소리를 해대는 것인지 말이다. 하지만 의외로 그건 간단한 이유에서였다. 난 그네들을 준비시키고 싶었건 거다. 내가 없는 그 언젠가를 무의식적으로 가슴에 담고 매일 그들을 내가 없는 시점에 대한 준비를 시키고 있었던 것이다.

그런 와중에 나 스스로에 대한 사랑은 점점 쪼그라들어 지금은 내 스스로에 대한 애정은 눈곱만큼도 남아 있지 않다. 그래서 온전치 못한 스스로에 대한 분노가 치밀어도 어쩔 수 없는 무능력함에 우울해 지는 것이다. 또 나를 사랑하지 않으며 해대는 잔소리를 그저 잔소리라 여기며 준비하지 않는 그들 역시 내겐 힘든 대상인 것이다.

나 없어도 지구는 잘 돌아갈 테지만, 적어도 내가 했던 시행착오는 내가 사랑하는 가족들이 되풀이하지 말았으면 하는 그 심각한 불안감에서 그들을 준비시키기 위한 잔소리가 끊이지 않는 것이다. 뭐든 해내려고 죽을힘을 다해야 한다.

그렇지 않고 실패했을 경우 너무 큰 대가에 노출되어 피 흘리게 되는 경험을 길지 않은 삶에서 많이 겪다 보니 피 흘리지 않도록 그들을 준비시켜야 했던 것이다. 강하게 해야 했고, 온전하게 해야 했고, 쓰러지지 않게 해야 했다.

하지만 한 가지 내가 다시 생각해야할 면이 요즘 들어 보이기 시작한다. 내가 강해지면 이 사람들을 지킬 수 있지 않을까 하는 생각이다. 하지만 그것도 이미 때가 늦은 것이 아닐까 한다. 시간의 문제가 아니라 내겐 그 열기와 자신감 넘치던 스물 서넛의 내가 없는 것이다.

내 자아는 쪼그라들었고, 모래가 되어 바람에 다 날려 흩어진

뒤다. 죽을 날 기다리는 늙은 코끼리처럼 무덤자리 찾아가는 그런 심정으로 매일을 살고 있으니 말이다.

나이가 늘수록 기억할 수 있는 게 열 가지씩은 더 줄어드는 듯하다. 정말로 어딘가에 쓰지 않으면 하루 종일 멍하니 앉아 죽을 날 기다리는 시체냄새 사는 산송장처럼 되어갈게다.

죽어가는 것이 두려운 것이 아니라 내가 자신감 넘치게 준비시켰던 그들은 아직도 온전하지도 강하지도 않다는 사실이 두려운 거다. 그런 와중에 나는 잔소리 많은 사람이란 주홍글씨를 가지고 이렇게 침묵하고 있을 뿐. 하루가 너무 길다.

2012년 2월 1일

#잔소리 #잔소리대마왕
#어쩌면그건삶에대한불안을표현하는다른방법인지도몰라

거울 이야기
-어머니의 배려

오랜만에 찾아든 고향집에서 눈을 뜬 오늘은 주일이다. 아침 예배에 가기위해서 세숫대야를 펼쳐놓고 수도꼭지를 틀어서 물을 받았다. 봄이라고는 하지만 아직도 물이 차다. 얼른 손을 못 담그고 세숫대야 앞에서 못난 얼굴을 물에 비춰보았다. 안 그래도 통통한 얼굴이 어제 밤에 냉장고 뒤적이다 찾아서 구워 먹은 떡 때문인지 더 부어 보인다. 숨을 크게 들이키고는 물을 얼굴에 때렸다.

역시 씻는 건 좋은 일이다. 광주의 빳빳한 물에 익숙한 내 얼굴은 시원한 지하수 앞에서 더 상쾌함을 느낀다. 목에 두른 수건을 끌어내려서 얼굴의 물기를 닦아 내고, 아까 본 못난 얼굴을 다시 한 번 보려고 마루에 걸린 거울을 찾았다. 그리고 거울 앞에 섰다. 하지만 거울에 보이는 건 못난 내 얼굴이 아니라 두툼한 목덜미부터 더 두툼한 허리춤까지였다.

'어, 이상하다. 전엔 안 그랬었는데…….'

예전에 봤을 때는 분명히 세수한 내 얼굴을 볼 수가 있었다. 그래서 별 생각 없이 부엌에 계시는 어머니께 외쳤다.

"엄마, 여기 거울 왜 이렇게 낮게 걸려 있어요?"

"거울? 아, 그거 좀 높이 걸려 있어서 낮게 매달았는데 다시 올려 달아놓는 걸 잊어 부렀다. 보기 불편 하믄 높이 걸어라"

우리 집 식구들은 하나같이 키가 작은 편이다. 돌아가신 아버지는 키가 크신 편이셨지만 어머니, 나, 여동생은 키가 작다. 그나마 내가 그 중에서는 가장 크다. 그야말로 도토리 키 재기라 할 수 있다.

아마도 오늘 나의 목덜미를 보여준 이 거울은 내가 대학 올 때까지 고등학교 3년 동안, 그리고 내가 찾은 주말마다 내 키높이에 맞춰져 있었던 듯하다. 나 하나 때문에 이 거울을 항상 이렇게 걸어놓으신 것이다.

어머니도 참 무던하신 분이다. 이런 어머니의 모습을 구속이라고 생각한 때도 있었고, 자질구레한 것까지 이것저것 챙겨주시는 어머니를 부담스러워했던 적도 있었다. 대학 생활이 4년이 다 되어 가지만 아직도 아침에 어머니께서 전화로 깨워 주신 적이 많다. 그리고 하루에 두 서너 번씩 어머니께 전화 드리면 내게 항상 같은 말씀만 하신다.

"밥 먹었냐?"

웃음이 나온다. 그동안 투정을 부린 모습이 어머니께 어떻게 비춰졌을까를 생각하니 죄송한 마음이 절반을 넘어선다. 하지만 기쁜 마음으로 어머니의 마음을 받기로 했다. 어머니가 주시는 자질구레한 나의 일상을 감사하게 받기로 했다. 그리고 차근차근 모아두려고 한다. 어머니가 주신 관심을 잘 모아두었다가 이다음에 우리 아들, 딸들에게 조금씩 나눠 줘야하니까 말이다.

오늘 거울이 내 목덜미를 보여준 건 우연이 아닐 것이다. 그 동안의 행복한 일상은 그냥 생긴 것이 아니라 어머니의 무심한 듯 배려해주신 것이라는 걸 알려 주기위해서 일부러 그랬을 거라고 단정지어본다.

거울을 올려 걸까하다가 그냥 그대로 두었다. 그 대신 내가 무릎을 굽혀서 거울 속에 내 얼굴을 비춰보았다. 잘 보니깐 그리 못난 것만도 아니다. 좀 더 다가앉아서 보니깐 어머니, 아버지 얼굴도 보이고 여동생의 얼굴도 보인다. 뭐가 더 보고 싶은지 자꾸만 거울 쪽으로 못난 얼굴을 내밀어 본다.

2001년 3월 18일

#거울 #어디어디보이나 #세상을내중심으로만생각하지말자
#당연한것들에대한고마움 #이젠내가베풀차례 #대학문학과목과제물

꽃밭에서

-채송화가 있는 풍경

시골집은 마당이 참 넓다. 집 뒷터도 꽤 넓어서 매년 어머니께서 고추며 오이에 콩도 심고 하셔서 여름에 우리 집 식탁은 농약 한번 안한 싱싱하기가 이를 데 없는 무관심농법의 채소로 가득하다.

하지만 여름에 오는 태풍은 그런 시골집 여름 식탁에 황량함을 몰고 온다. 태풍이 지나간 뒷터는 고추가 대나무로 만들어 놓은 지지대를 벗어나 땅바닥에 누워버리고, 오이는 워낙 약한 식물이라서 뭐 잴 것도 없이 줄기가 널부러진다.

그 넓디넓은 뒷터에 여기저기 처참하게 쓰러진 고추며 여러 가지 식물을 보자면 한숨부터 난다. 어머니께서 소일거리 삼아 봄부터 김도 매시고 모종도 심으시고 하셔서 기른 게 그렇게 허무하게 쓰려져 버린 그 광경을 보고 누군들 마음이 안 아플까.

뉴스에서 주름투성이의 눈가를 붉게 물들이며 아쉬워하는 늙은 아낙의 모습이나 삽 한 자루에 기대서서 먼 산 바라보며 담배 한대 태우시는 할아버지 농사꾼의 모습이 절대로 뉴스거리만은 아니라는 것이다.

흔히 말하기 좋아하는 사람들은 땅은 정직하다고 한다. 물론 사실인 부분도 있다. 하지만 정직하기만 한 것이 아니다. 이 땅덩이는 너무나 순둥이다. 사람들이 뿌리는 온갖 오물에도 한 마디 뱉을 줄도 모르고, 무심한 태풍이 날리는 강타에 힘 한번 못 써보고 자기를 기대고 있는 식물들을 지켜주지 못하니 말이다.

오늘 이렇게 무참하게 쓰러진 고춧대를 세웠다. 어머니 말씀처럼 눈(目)이 자꾸 거짓말을 했다. 처음엔 얼마 안 되어 보이던 고춧대들이 시간이 가고 세우면 세워갈수록 줄어드는 게 아니라 자꾸 늘어나는 느낌이 들었다. 이렇게 어머니께 푸념처럼 말씀드렸더니 눈이 거짓말을 한다는 이야기를 하셨다.

어머니를 향해서 한번 활짝 웃어보이고는 다시 허리를 굽혀서 고춧대를 세워나갔다. 오전부터 시작한 일은 아무래도 끝날 기미가 안 보였다. 어머니께서 점심 먹고 하자며 먼저 내려가서 손 씻고 밥상 좀 보라고 하셨다. 안 그래도 일이 지루해서 자꾸만 도망칠 궁리를 하던 나는 너무나 기쁜 나머지 어머니의 말씀이 떨어지기 전에 냉큼 마당 수돗가로 갔다. 손을 씻고 수도꼭지를 잠그는 찰나 내 눈에 뭔가 들어왔다.

줄기 끝에 각기 색이 다른 앙증맞은 꽃을 올리고 있는 채송화였다. 그것도 꽃밭이 아닌 시멘트 틈 사이에 잡초와 함께 즐겁게 피어선. 며칠 전까지 분명히 그 자리에 꽃이 없었다. 하지만 그 순간 내가 본 것은 눈짐작만으로도 쉰 송이는 넘어 보이는 채송화 무더기였다. 더더구나 신기한 것은 한 포기에서 서로 다른 색의 꽃이 핀 것처럼 보이는 것이다.

채송화는 내가 좋아하는 동요 '꽃밭에서'에 나오는 꽃이다. 줄기나 잎, 아니 어찌 보면 꽃마저도 볼품없는 꽃이라고 생각해왔었고 일부러 찾아서 볼 생각도 못한 꽃이다. 여기 저기 많은 꽃집에 가도 절대 볼 수 없는 꽃이고 기껏해야 식물도감에서나 볼 수 있는 그런 꽃이 되어 버린 지 오래니까 말이다.

그런데 오늘만큼은 유난히 색도 짙었고 줄기도 힘 있어 보였다. 매년 피기는 했지만 오늘처럼 신경 써서 본적이 없다. 예쁘기도 하지. 그리곤 그 앞에 쪼그리고 앉아서 꽃구경을 했다.

'이 녀석이 왜 이리도 싱싱하게 피었을까?'

의외로 답이 간단하게 나왔다. 이 녀석을 이렇게 만든 장본인은 시골집 뒷터를 엉망으로 만든 무심하고 야속한 태풍일거라는 생각이 들었다. 사흘 밤낮동안 무섭도록 비를 뿌리고 오래된 우리 집 지붕이 날아갈 정도로 불어대던 바람을 맞고 이 녀석이 악에 받쳤는지 오늘 이렇게 꿋꿋하고 예쁘게 피었나 보다 생각하니 고춧대 세우느라 짜증이 목까지 찼던 내 가슴에 얼음을 얹은 것처럼 시원해졌다.

냉큼 일어섰다. 그리고 부엌으로 가서 점심상을 보고 어머니께 식사하시라고 전하고 같이 밥상에 마주하고 앉았다. 그리고 채송화 이야기를 어머니께 이야기해 드렸다.

어머니께서 별 말씀은 없으셨지만 표정은 별 미친 놈 다본다 하는 그런 표정이셨다. 그래도 좋다. 닮고 싶은 한 가지가 생겼으니 말이다.

2002년 7월 5일

#꽃밭 #채송화 #수돗가 #여름이면청포도가가득했는데 #지금은아련한추억

세상에 고함

-신념의 화살

세상.

내가 바라는 가장 작은 세상은 상식이 통하는 세상이다.

하지만 주위에선 그게 가장 큰 세상이라 한다. 가진 것도 없고 배경도 없는 내가 세상을 살아내는 것, 아니 나를 둘러싼 모든 것에서 살아남기란 퍽이나 비참하고 아슬아슬한 줄타기다. 이젠 정말 힘이 없다. 욕심이 가득한 사람들. 강직함이 이미 미련한 처사로 통하는 지금, 내가 믿던 작은 가치관들을 하나 둘씩 사망에 이르게 하고 있기 때문이다.

만 24년 2개월. 정말 난 무엇을 바라 이 시간을 살고 있는 것일까. 나의 가족과 사랑하는 사람들 때문에 이 악물고 지금까지 살아왔다. 아파도 아프지 말아야 했고, 눈물 나도 울지 않아야 했고, 돈 없어서 배고파도 배부른 척 했다. 그리 예쁘지 않은 외모 덕에 별 상상도 못할 조롱도 당해봤다.

내가 '나'로 세상에 소리칠 수 있는 건 '악' 뿐이다. 뭘 어떻게 해볼까 하면 이내 나를 격침시킨다. 배경이 없는 너는 계속해서 엑스트라로 살라한다. 내 삶과 내 숨결 베인 손때 묻은 나의 학교와 나의 아이들도 온전히 나와 사랑을 나누지 못하고 믿고 존경할 모든 선생님들과도 사랑하지 못했다. 아직도 거짓을 숨소리 마냥 뿜어내는 빛나는 그 누군가를 사랑하겠노라 다짐을 해봐도 나는 하나님의 그것에 이르기는커녕 마음속엔 분노만 쌓여간다.

다시 나는 무엇을 바라 만 24년 2개월을 살고 있는가. 그래도 언젠가 한번은 알아주리라, 강직함과 성실함이 인정받으리라 자위하며 살아온 시간이지만 내가 그동안 쏘았던 신념의 화살들은 어디를 거쳐 왔는지 타락과 이해관계의 구린내 나는 비릿한 향을 풍기며 내게 화살촉을 돌려세우고 있다.

어머니께서 무능함을 탓하며 이틀 밤을 우시게 했고, 눈물 나도록 열심히 공부하는 내 여동생에게는 휴학을 권할 만큼 못난 오빠가 되어 버렸다.

한 달 180만원인 나의 월급에서 많은 것을 배운다.

거기엔 항상 정겹던 슬픈 아버지의 모습이 서려있고 매일을 가계부 앞에 한숨 쉬시던 어머니의 절규가 숨어있다. 거기엔 나의 중학 시절 며칠을 졸라서 다닌 학원 몇 달이 있으며, 한 달에도 몇 권씩 넘게 풀어대던 영어, 수학 문제지가 담겨있다. 거기엔 할아버지, 할머니의 제사상이 담겨 있다.

나의 180만원 월급 속엔 나의 힘들고 눈물 나던 대학 생활이 있고, 폐렴 어디쯤을 기웃거리며 기름이 없어 콜록거리던 자취방이 아른거린다. 친구들에게 부담 없이 건넸던 소주 몇 잔이 있고, 쑥스럽게 건넨 동생의 용돈이 있다. 그녀의 목소리를 들려주는 그녀의 휴대폰이 담겨 있고, 오랜만에 벼르고 별러 어렵게 드린 어머니의 용돈이 있다.

살면 살수록 신념은 희미해져 간다. 정말 시리게 슬펐던 날에도 차마 생각지 않던 구린내 나는 환영이 매일 밤 나를 간질인다. 죽여내고 싶지만 불사신 마냥 죽지 않는다. 힘들다 말하지 않고 살고 싶어, 눈물 나는 만큼 웃고 또 웃었고, 어른들 말씀에 한번도 '아니요'라고 대답한 적 없는 삶이었다. 나의 웃음 뒤에 숨은 깊고 깊은 슬픔을 읽어내는 내 어머니는 아들의 눈물까지 항상 대신 하신다. 그래도 모른 척, 두 번도 모른 척, 세 번도 모른 척, 그렇게 내 어머니는 나를 또 키우고 또 키우셨다. 잡초 같은 내가 삐뚤어지지 않고 강직하게 살아온 건 세상에 대한 발악이었다. 너 들어라. 제발 들어라. 발악이었다.

눈물이 폭포수같이 쏟아져 내리는 오늘은 더 많이 웃는다. 실컷 웃고 후련하게 집으로 가야겠다. 비가 왔으면 좋겠다. 비가 와야 마음 놓고 울 수 있다. 내 눈물 감추려면 비가 와야 한다. 그래야 세상이 모른다. 내가 울고 있다는 것을 모른다. 이 땅에서 소풍 마치고 돌아가는 그날엔 반드시 실컷 울면서 가리라. 힘겨웠던 소풍 마치면 반드시 울면서 가리라. 항상 웃어 좋다 한다. 모르는 사람들은 세일이의 긍정적인 생각이 좋단다. 하루하루 극단적인 우울함으로 치를 떠는 나는 어쩌면 분류가 없는 정신병자인지도 모른다.

기울지 않은 하루, 사람, 사랑, 나눔, 용서, 지혜, 슬기, 걸음, 지식. 내게 필요한 것은 매일 먹는 음식과 삶 그리고 나 자신에 대한 사랑과 스스로에게 보내는 관대함이리라.

2004년 2월 26일

#분노 #월급 #정의 #상식 #마음이강하지않으면무너진다
#무슨일이있었는지기억나마음이아프다

아버지, 그리고 아버지

-삶은 계속 되는 것

아주 오래 전이다. 고린내를 풍기시며 약주를 거나하게 하신 채 집에 들어오시던 아버지의 그 새벽을 기억하고 있다. 그냥 마셨다 하셨다. 단지 술이 술을 마신 것뿐이라 하셨다. 그런 줄 알았다. 당연히 그런 줄로만 알았다. 오늘은 마음에 서러운 얼음 꽃이 피었다.

책꽂이에 먼지 쌓여가던 시집들 중에서 박목월님의 시집을 꺼내 들었다. 오늘은 그의 시 '가정'이 꼭 필요한 날이기에. 그분 말씀으로는 아버지들이 걷는 길은 얼음의 벽으로 둘러싸인 지상, 그 중에서도 연민한 삶의 길이라 했다. 그리고 나 역시 연민한 삶의 길에 들어섰다는 것을 느낀다. 애늙은이가 되어버린, 그러나 타인들에겐 가시나무 마냥 사나운 가시를 드리우고 누구든 다가서기를 막아버린 나는 가시덤불이 되어버렸다.

산다는 것은 어려운 것이다. 세상 속에 던져진 나는 너무나 어지럽다. 요즘처럼 어지러운 적이 없었다. 몸이 곤하고 으스러지는 경험은 차라리 참을 만 하였으나 마음이 이렇게 무너져 내리는 요즘은 힘이 없다. 욕 한번 시원하게 할 힘이 없다.

내 몸뚱이 하나쯤은 건사할 힘은 가졌지만 이제 그것만으로는 부족하다. 이제 내 곁엔 얼마 후면 철들 때 까진 내 어릴 적처럼 나를 아버지라 부르며 세상의 모든 것이라 여겨줄 내 아이가 태어날 것이기 때문에 이제 아버지가 되어버리는 것이다.

직장 생활의 애환이야 으레 있는 것이지만, 오늘은 참기가 너무 힘들다. 송곳 끝 마냥 날카로워진 내 심사를 알 리 없는 사람들의 말 가위들은 나를 처참하게 찢어놓았다. 그리고 권위와 힘 앞에 몸부림치는 무력한 동물 한 마리를 더 보게 되었다.

두렵다. 아주 오랜 후에 내가 그런 권위로 물들어 있진 않을까. 그래서 나같이 힘없는 사람들의 가슴을 찢어낼 가위를 날리는 것은 아닐까. 지금도 내가 우리 아이들에게 그런 행패 같은 만행을 저지르고 있는 것은 아닌가. 굴욕이래도 좋다. 나는 오늘 그런 행패 앞에 눈을 감아버렸다. 눈을 감고 싶었다. 눈을 뜨고 있으면 어떤식이든 대들어 버릴 것만 같아 찔끔 눈을 감아 버렸다.

소리도 없는 봄 이슬에
아무도 모르게 찰진 세상이 젖어가는 새벽 1시 즈음,
그 쫀쫀한 어둠을 뚫고 퍼지는 우리 막둥이 코고는 소리

퇴근해 돌아온 집엔
사랑하는 강아지들이 셋이나 모여들어
하루를 종알이고,

긴긴 하루 잘 버티고 돌아온 아비는
개선장군이 되어
큰 딸내미, 작은 딸내미 품에 끌어안고서
소설 쓰듯 매일 일기장을 누비는 큰 아들놈과는 하이파이브

어미는 아비 마음속에서 이미 죽었고
타들어가는 외로움과

깊다란 상처의 기억을 지닌 삶의 칼을 들고,
세 강아지 지키려 세상 속에 섰다.

곤한 시간 속에 아비를 응원하는 소리처럼
막둥이의 코고는 소리는 시간을 달려
시린 마음을 가르고, 삶 속에 선 외로움을 몰아낸다

잘 자라 우리 강아지,
내가 항상 네 삶의 불침번이다

-이세일, 시집 '사랑의 끝에서' 中 '코 고는 소리' 전문

이제 한 아이의 아버지로 사방이 얼음벽인 지상에서 살아가야 한다. 부러질지언정 휘지 않겠다던 사춘기의 소박한 다짐은 짧은 꿈 마냥 아른거린다. 그래서 서러운 눈물의 지우개로 굴욕적인 낱말을 계속해서 닦아낸다.

오래 전 그 고단하시던 아버지와 마주 앉아 소주 한잔 하고 싶다. 술이 술을 마셔도 좋으니 아버지께 울며불며 힘들다고 투정이라도 부려보고 싶은 날이다.

2004년 9월 22일

#시 #박목월 #읽을수록눈물이난다 #언제고읽을때마다힘이되는박목월님의시

뮤지컬 '명성황후' 이야기

-아들에게서 소년을 보다

얼마나 오랜만일까?

작년 여름 관람한 '광화문연가'이후로 근 일 년 만에 관람한 뮤지컬이었다. 음악 하는 사람도 아니면서, 그렇다고 음악에 대해서 많이 아는 것도 아니면서 난 참 음악이 좋다. 아침에 아무리 곤한 밤을 지새웠더라도 아침에 눈뜨면 하는 일은 오래된 내 친구 노트북을 열거나 스마트폰을 열어 음악을 틀어놓는거다.

가족들은 그렇게 틀어놓으면 의식하지도 않게 되고 마치 그냥 적적해서 틀어놓은 TV와 다를 바가 뭐냐고 묻는다. 하지만 난 의식하고 있다. 난 생소한 음악은 그 음악이 익숙해질 때까지 잘 듣지 않는다. 발표된 지 오래되어 그 가사와 음악과 배경으로 들리는 음이 거의 다 들리기 시작할 때 즈음 그 CD나 기타 디지털 매체에 담아 비로소 듣고 다닌다.

물론 예외는 있다. 처음 드는 음악이라도 어느 날, 어느 상황에서 내 마음을 울리는 노래는 반대의 과정을 거친다. 일단 디지털 매체에 담아 마르고 닳도록 듣는다. 그리고 그 음악 자체 뿐 아니라 그 음악이 만들어진 배경, 가사의 배경, 곡이 붙여진 뒷이야기에 관심을 가지고 더 알고 싶어 하고 알기 위해 참 노력한다.

언제나 나의 말은 글들을 통해서 이야기하는 것이지만 나는 어떤 사람이든 사물이든 그것 자체의 가치와 더불어 그것이 가진 이야기, 또는 그것이 만들어내는 이야기에 관심을 가지고 그것들과 대화를 하고 그렇게 함으로써 나의 것, 나의 사람으로 비로소 인식하게 된다. 아마도 이건 사랑이라고 불러야 할 듯하다.

이 글도 사설이 길어진다. 내가 이렇게 글을 쓸 때마다 사설이 길어진다는 걸 최근에서야 알게 되었다. 그만큼 본래의 어떤 것을 꺼내기에 앞서 이것이 가진 이야기를 들려주고 싶은 욕심에서인 듯하다.

지난 토요일 큰 아들과 함께 명성황후 뮤지컬 공연 관람을 다녀왔다. 원래 공연 일자는 훨씬 전이었으나 세월호 추모를 위해서 2주 연기된 공연이었다.

큰 아들은 피아노를 배우기 시작한지 이제 만 5년이 되었다. 지난해까지만 해도 피아노 레슨이며 바이올린 레슨을 참 받기 싫어했었다. 물론 지금도 그렇게까지 좋아하는 건 아니다. 그런데 이 녀석이 올해 초부터 갑자기 누가 시키지도 않았는데 집에서도 부쩍 피아노 앞에 앉아 있는 시간이 늘고, 숙제를 다 하곤 피아노 앞에 앉아 있고, 학교 갈 준비가 먼저 되면 같이 차를 타고 가는 동생들을 기다리는 동안에도 피아노를 치고 있는게 아닌가.

이 녀석이 변한 데는 결정적 순간이 있었다.

그것은 바로 다름 아닌 디즈니의 극장용 애니메이션 '겨울왕국'

이었다. 사실 그 이전에도 '라푼젤'이며 다양한 뮤지컬 요소가 가득한 애니메이션을 많이도 봤지만 이렇게까지 큰 반향은 없었는데 이번에 좀 달랐다. 어느 결엔가 영어로 된 'Let It Go'를 가사를 다 외워 되지도 않는 목소리로 열창을 하고 다니질 않나, 쓸데없이 바쁜 아빠를 몇 날 며칠을 졸라 악보를 구해달라고 하더니 열심히 연습해서 이젠 완전하게 곡을 연주하고 있다.

자기 손에서 만들어 지는 그 음악의 즐거움을 조금은 알아가는 듯하다. 얼마 전에는 노래를 한 곡 만들었다면서 가사와 함께 적어왔다. 제목은 '우리 가족'이었다. 그런데 음악을 듣다보니 어디서 많이 들어본 듯해서 혹시 이 음악 동요 '예쁜 아기곰'이랑 멜로디가 비슷하지 않냐고 물었더니 이 녀석이 하는 말이 가관이었다.

"역시, 아빠는 아실 줄 알았어요. 이 노래는 그 노래의 리듬만 바꿔서 만든 노래에요"

이러는 거다.

나를 시험하다니. 순간 울컥했지만 참기로 한다. 내가 음악을 잘 모르고 전문가도 아니지만 우리 아이들과 노래를 만들고 항상 첫 노래는 큰 아들이 하기 때문에 아빠가 좋아하는 일에 대한 이해가 조금은 있는 듯하다.

부모를 사랑하는 일, 자녀를 사랑하는 일은 좋은 옷과 좋은 음식, 좋은 성장 환경도 있지만 서로가 무엇을 좋아하는지. 또 무엇에 대한 취향을 가지고 있는지 알아가는 일이라고 생각한다. 이 아빠의 표정만 보고도 오늘 밖에서 무슨 일이 있었는지 물어

봐주는 관심 정도만이라도 말이다.

같은 집에 사는 게 중요한 게 아니라 같은 집에 사는 사실에 더해 서로에 대해 얼마나 관심을 기울이고 있는가가 척도가 아닐까 한다. 이건 어떻게 들릴지 모르겠지만 세상 소풍 끝내는 날에 내가 평소 좋아했던 곡을 내 영정이 있는 빈소에 틀어줬으면 좋겠다. 혹시 아들이 이 글을 볼 수도 있으니 곡명은 비밀로 남겨두기로 한다.

누가 뭐라든지 아빠의 음흉한 의도대로 큰 아들도 슬슬 음악적 취향이 생겨나기 시작한 것 같다. 특히 거의 매일 아빠 차를 타는 아들은 초등학생이 가지기 어려운 음악적 취향을 가지고 있다. 옥슨의 '불놀이야'가 나오면 차에 올려둔 보잉 인형처럼 고개를 까딱이며 '저녁노을 지고'로 시작해서 클라이맥스에서는 '불놀이야'를 같이 외쳐줄 음악 취향의 동지가 제대로 되어준 것이다.

매일 같이 차를 타는 둘째이자 큰 딸이 가장 좋아하는 노래는 '분홍립스틱'이다. 그래서 차를 타 다른 노래가 나오면 신청곡으로 요청하곤 한다. 그 자그마한 입술로 부르는 '분홍립스틱'은 원곡 이상의 감동을 선사한다. 이 노래를 처음 알게 된 게 영화 '광복절특사'를 통해서였다. 송윤아 씨가 부르는 그 노래가 어찌나 좋던지 원곡까지 찾아서 10년이 넘도록 이렇게 차에 가지고 다니면서 듣고 있으니 말이다. 한번 빠지면 나 죽기 전까지는 내 음악적 취향 목록에서 나가지 못할 노래 중의 하나이다.

나의 이런 음악적 취향 가운데 나름 가장 고급스러운 취미가 바로 '뮤지컬'이다.

워낙 시골에서 자라 모내기 못줄은 잡아봤어도 공연장은 커녕 초등학교를 다 졸업하도록 극장 한 번도 못 가본 내게 뮤지컬은 그저 브로드웨이에서나 볼 수 있는, 연예뉴스의 한 토막으로나 알고 있던 것이었다.

그래서 초등학교 교사가 된 지금도 시골 학교에 근무하면서 기회만 되면 우리 반 아이들을 툭하면 극장이나 공연장엘 데리고 다니면서 기회를 만들어 주고 있다. 아마도 그 어린 시절의 트라우마가 좀 있지 않을까 한다. 꿈을 크게 가지고 싶어도 어떤 꿈이 있는지조차도 모르는데 어떻게 큰 꿈을 가진단 말인가. 일단은 이 넓은 세상에 대해서 아는 것이 수학 한 문제 푸는 것보다 중요한 일인 듯하다.

일단 본격적인 이야기를 하기에 앞서 부끄러운 고백을 하나 해야 한다.

그 당시 유일하게 알고 있는 뮤지컬 배우는 '남경주' 씨였다. 가끔 새로운 뮤지컬 공연을 시작하게 되면 연예뉴스에 나와서 인터뷰를 하던 얼굴이 컸던 배우였다. 마치 뭐랄까. 중학생 시절 친구들이 팝가수나 팝송 좋아하냐고 물으면 으레 정답처럼 '마이클 잭슨'이나 '마돈나'를 이야기하던 것처럼 말이다. 아, 오해는 말았으면 좋겠다. 이 친구들 중엔 정말 이 들을 좋아하는 이들도 많았다. 나도 그런 사람 중에 한명이었으니까. '마이클 잭슨'을 통해서 '비트'를 알았고, '마돈나'를 통해서 내 안에 숨어있던 이성에 대한 관심을 알아차렸으니까.

그렇게 뮤지컬은 그저 나와는 먼 이야기였지만 다양한 방법으로 해외 유명 뮤지컬 영상과 음반을 구해서 스토리를 접하고, 유명 OST넘버들을 당시 대유행이던 CDP에 담아 온 몸으로 즐기고 있던 시기이기는 했다. 그러던 전차에 드디어 내게도 뮤지컬 관람의 첫 경험이 다가왔다.

때는 바야흐로 '응답하라1997'의 배경으로 나온 그 즈음이다.

대입 시험이 끝나고 어마무시하게 길던 고3의 겨울방학 끝자락에 서울로 대입 논술 시험을 볼 일이 생겼다. 그러나 이 시골 아이의 마음속엔 논술 시험보다는 뮤지컬을 한번 봐야겠단 잿밥이 더 크게 요동치고 있었다. 다행스럽게도 딱 그 기간에 공연 중인 뮤지컬이 있었다.

중학생 때 사서 5년 넘게 쓴 기타를 바꾸려고 모아두었던 용돈을 털어 예매를 했고 서울 모 대학에서 논술 시험이 끝나자마자 공연을 보러 달렸다. 너무 이르게 도착한 탓에 날도 추운데 촌놈은 2시간을 기다렸고 그 기다림 끝에 드디어 막이 올랐다. 생애 첫 공연장에서 관람하는 뮤지컬이 시작된 것이다.

아직도 그 날의 느낌을 생각하면 오싹해진다. 맨날 TV화면으로만 보던 영상과 음악을 대공연 장에서 라이브로 들으니 이건 마치 다른 차원에 앉아 있는 느낌이었다. 그리고 배우들의 합창이 이어지면 오줌을 지릴 정도의 전율이 전해졌다. 그렇게 3시간 가까운 시간동안 아무것도 못하고 공연을 봤다는 기억만 남은 첫 뮤지컬 관람이었다.

그 뮤지컬이 바로 '명성황후'였다.

그런데 내 생애 첫 뮤지컬을 지난 주 토요일 아들과 함께 16년

만에 다시 보게 된 것이다. 그런데 더 내 심장을 뛰게 한 사실은 내가 새파랗던 열아홉에 처음 본 이 뮤지컬을 초등학생인 큰 아들과 함께 볼 수 있다는 사실과 더불어 이 공연이 큰 아들의 첫 뮤지컬 관람이라는 사실이었다. 이전에도 기회는 있었지만 나이가 너무 어려서 같이 데리고 들어갈 수가 없었는데 이번에 기회가 닿아 같이 보게 된 것이다.

뮤지컬 줄거리는 생략한다. 일간 다 알고 있는 내용이기도 하거니와 그 이야기를 쓰려고 시작한 글이 아니니기 때문이다. 오래전 그 공연 안내장을 좀 보관해 놓았으면 얼마나 좋았을까 생각해 보았다. 그럼 아들에게 그때의 그 감정을 조금이나마 더 생생하게 이야기해 줄 수 있었을 텐데 하고 말이다.

나중에야 알게 된 사실인데 처음 이 공연을 봤을 때는 초연이 되고 얼마 지나지 않은 때였다고 한다. 시간이 맞았고, 나는 뮤지컬이 애타게 보고 싶었을 뿐이니까 말이다. 그런데 아무것도 기억이 안 나던 공연의 내용이 지난 주 토요일 배우들의 노래가 이어지자 거짓말처럼 살아나는 것이다.

잊고 있던 사실이 있었는데 공연이 끝나고 다시 시골집에 내려와선 당시에는 PC통신의 시대였던지라 동호회를 뒤져 명성황후의 OST를 찾아 CD에 담아 닳아빠지도록 들었던 기억이 그제야 난 것이다. 시간이란 참 묘한 것이다.

공연 내내 공연과는 별개로 힘들었던 그 당시가 떠올라 괜히 울먹해졌다.

그리고 지나온 시간만큼 빛이 바랜 의상들과 함께 지방 공연을 다니는 내 첫 뮤지컬을 보니 숨을 헐떡이며 생명을 다한 어느 생명체를 보는 듯 처연한 생각도 들었다.

그렇지만 언제나 변하지 않는 건 바로 그 OST들이다. 쓸데없이 많고 내세울만한 넘버가 없는 느낌도 있다. 극 초반에 목이 덜 풀린 듯 관객들을 피식 웃게 만들어 버린 가창력의 명성황후 역 여배우가 공연 중반을 넘어가자 제대로 목이 풀려 독창으로 클라이맥스로 향하던 찰나에 조용한 가운데 박수를 친 아들 녀석의 감성에도 감동했다. 아직 어리고 말로 축구하는 이 녀석이 어느덧 이제 감성을 지닌 소년이 되어 가고 있다는 생각이 들었다.

세월호 사건으로 두 번이나 연기된 공연이지만 이날만큼은 외부의 환경을 결부시키지 않고 부자간에 참 서로를 알기 위한, 또 알아간 시간이었구나 하고 의미를 부여해 본다. 앞으로 더 험한 세상으로 나아가서 남자로서, 또 누군가의 애인으로, 또 언젠가는 아버지로서 원치 않는 감정의 소모를 해야 하는 아들에게 조금이나마 그때까지 소진되지 않을 감성을 선물한 시간이 되었으면 좋겠다.

2014년 5월 26일

#뮤지컬 #연극 #너무좋아 #사람의취향이란존중해주어야하는것
#그래도아들은이제어벤져스를더좋아한다

미쳐보기

신호등

-바라보는 마음의 눈

날씨가 더워지니 조금씩 더 게을러집니다. 물론 가장 큰 원인은 불어난 몸무게에 있지만 날씨도 영향이 큽니다. 게을러져서 아침 기상 시간이 조금씩 늦어지고 있습니다.

그래서 아침에 해야 할 일들을 하고선 허겁지겁 차를 몰아 학교로 향합니다. 학교로 오는 길에 딱 한 개의 신호등 신호를 받고 오게 되어 있습니다. 그런데 이 신호가 기분 탓이 아니라 엄청 깁니다. 그래서 어느 날은 10분이나 일찍 나왔는데도 학교에 도착하는 시간은 평소와 같다거나 도리어 더 늦는 경우도 생깁니다. 그럴 때 종종 짜증도 내고 했는데요 뭐 그래봐야 달라지는 게 있나요. 짜증은 짜증으로 끝날 뿐 남는 건 없지요.

그런데 그렇게 삼 년째 그 신호등을 지나치다보니 어느 샌가 그 신호등에 걸리지 않고 지나가는 게 출근길의 미션 아닌 미션이 되어 버렸습니다.

사실 15분만 먼저 나오면 그 신호등의 신호 길이와는 관계없이 언제나 같은 시간에 학교에 도착할 수 있습니다. 그런데 이상하게도 일찍 일어난 날은 일찍 일어난 대로 늑장을 부리게 되고 늦게 일어난 날은 서둘러도 그 시간이 되어버리는 겁니다. 그렇게 늦은 날엔 어김없이 그 신호등에 딱 걸립니다. 그럼 평소 출근 시간보다 15분이나 더 늦어지게 됩니다. 안 그래도 늦어져서 짜증지수가 높은데 심지어 신호까지 길게 걸리니 마음이 이만저만 속상한 게 아닙니다. 그리고 그 신호등은 정지선에 도착하기 훨씬 전인 멀리서도 신호의 색을 알 수가 있습니다.

멀리서 봐서 초록색이라서 바쁘게 갔는데 딱 바로 앞에서 빨간색으로 바뀝니다. 그리고 애초부터 빨간색일 때는 또 신호가 엄청 길게 느껴집니다. 그런데 엄연히 신호등은 늘 같은 시간을 두고 신호가 점멸이 될 거고, 다시 생각해보면, 매일 거기 그렇게 서 있는 신호등과 신호 시간은 분명 항상 일정하다는 이야기이기도 합니다.

이제 만 삼년을 지나다닌 오늘 아침, 신호등을 멀리서 보니 빨간색입니다.

그런데 오늘은 문득 이런 생각이 드는 겁니다.

'멀리서부터 빨간색이었으니까 이제 곧 초록색으로 바뀌겠다'

아무렇지도 않게 든 생각인데 잠시 멍해졌습니다. 한 번도 그렇게 생각해본 적이 없습니다. 얼른 바뀌지 않는 신호가 야속했을 뿐이었습니다.

맞습니다. 뭔가 지나갔다는 것은 다음 것이 오고 있다는 이야기고 도리어 지나간 것보다 올 것이 더 가까이에 있다는 의미일 수도 있습니다. 그 생각이 꼬리를 물고 고등학생 때 사회선생님께서 매일 괴로워하던 저에게 선물로 주셨던 법정 스님의 수필집 '무소유'에 수록된 '너무 일찍 나왔군'이라는 글이 생각났습니다.

삶은 언제나 같은 모습으로 펼쳐지지만 늘 웃고 사는 사람도 있고 거의 찡그리고 있는 사람도 있습니다.
일과가 끝나고 학교 선생님 한 분과 저녁 식사를 하게 되었습니다. 맛있는 고기를 구워가며 식사를 하고 있는데 옆 테이블에 계시던 한 분이 같이 오신 선생님께 인사를 건넵니다.

"형님, 오랜만이네요. 요즘 잘 지내시지요?"

하고 물으니 선생님께서 대답합니다.

"아니, 그럭저럭 그래"

가볍게 잘 지낸다고 해주었어도 될 텐데 오랜만에 만난 이의 안부에 너무 야박하지 않았나 하는 생각도 들었습니다. 살다보면 인생도 흐름이 있고 맥락이 있습니다. 식당에서의 대화는 가볍게 잘 지낸다고 했어도 될 흐름이었습니다.

아침에 신호등에 대한 생각을 잠깐 바꾸고 나니 다음 주부터는 출근길이 괴롭지 않을 듯합니다. 당연한 건데요. 멀리서 신호등이 빨간색이면 정지선에 도착했을 땐 훨씬 빨리 초록색이 되는 겁니다. 그리고 혹시 초록불이다 빨간색으로 바뀌어도 그저 다음 신호에 좀 일찍 기다린다고 생각하려고 합니다. 하루 이틀이면 짜증으로 마무리 지어도 좋겠지만 내리 삼년을 다니고 앞으로도 최소 8개월은 다녀야 하는 이 길에서 작은 깨달음을 얻었습니다.

이제 멀리서 초록색이면 굳이 액셀러레이터를 밟아서 가지 않으렵니다. 여유 있는 삶의 흐름을 타고 긍정적으로 지내려구요.

2015년 7월 13일

#신호등 #삶은깨달음의연속 #아는만큼보이는것
#알수록알아지는건모른다는것 #즐거운출근길 #앞으로출근길에레이스는없다

부족함

-걱정 말아요, 그대

긴 연휴의 끝자락을 물고 우연히 TV채널을 돌리다 jtbc라는 방송에서 막 시작하고 있는 프로그램을 하나 보게 되었습니다. 물론 시청을 시작한 이유는 김제동이 사회를 보고 있었기 때문입니다. 그러고 싶진 않지만 편애의 정도로 김제동이라는 사람의 말을, 그 사람의 입을 통해 전해지는 콘텐츠를 좋아합니다. 특히 그의 말이 좋은 이유는 책임을 질 각오를 하고 하는 말들이기 때문입니다. 저 같은 비겁쟁이들이 SNS에 끄적거리는 것들과는 상당한 무게감의 차이가 있지요.

맨날 똑같아 보일지 몰라도 정치와 사회현상에 관심을 좀 가져야 합니다. 안 그러면 무슨 일이 어떻게 생겨날지 모릅니다. 어디서 보았던 짧은 이야기처럼, 어떤 선량한 시민이 부당한 대우를 받자 이렇게 대답했다고 합니다.

"나는 다른 사람들에게 피해를 끼치거나 당신들에게 아무런 피해도 주지 않았는데 왜 내가 이런 일을 당해야 하나요?"

"그것은 당신이 아무것도 하지 않고, 변화를 위한 활동에 참여하지 않았기 때문입니다"

관심을 가지고 부지런히 그리고 열심히 참여해야 합니다. 알려고 애써야 하고 좀 부담이 되더라도 어깨를 걸어주려고 애써야 합니다.

주변에도 말로만 떠드는 사람 참 많습니다. 자신들은 그렇게 극단적인 방법을 좋아하지 않는다느니, 서서히 변화를 꾀해야 한다느니 하며 나서지 못하는 이유를 찾는 사람들 참 많지요. 그들을 비난할 생각은 없습니다. 왜냐하면 저 역시 그들 중의 하나니까요. 다만 언젠가 자신의 일이 아니었던 일들이 어느 순간 자신의 일로 돌아설 수 있다는 불편한 사실은 직시해야 합니다. 그래서 되게 불편하고 겁납니다.

글머리가 길어졌는데요, 이렇게 시청하게 된 프로그램은 보는 내내 눈과 귀를 집중할 수밖에 없었습니다.

프로그램의 구성은 프로그램의 제목 그대로입니다. 하나의 커다란 주제를 가지고 전문가 두 분이 패널로 나와 각자의 걱정과 고민에 대한 이야기를 해주는 뻔한 형식입니다.

뻔한 프로그램이 시창자의 눈과 귀를 사로잡을 수 있는 것은 결국 아주 작은 차이입니다. 대개의 프로그램들은 결론을 몰아가기 일쑤인데요, 심지어 개인의 고민까지 정형화된 결론 또는 다수의 의견 일치를 통해서 몰아버립니다.

꼭 해결되어야 좋은 건 아니지 않은가요?

프로그램 중 하나의 고민이었던 '만나면 불편한 친구들'에 대한 고민을 털어놓자 그런 친구들을 만나지 않으면 된다는 가벼운 이야기를 해주고 '사진 찍을 때 꼭 웃어야 하는 것'도 일종의 폭력이 될 수 있다는 다양한 시각을 인정하고 꼭 해결하려 들지 않는다는 것입니다.

그냥 들어주고, 또 들어주고, 또 들어주고, 상대방이 이야기를 듣고 싶으면 그제야 말을 이어가는 이런 내용이 좋습니다. 이 날의 주제는 '폭력'이었습니다. 경쟁에서 비롯되는 욕심과 좌절, 자괴감, 절망, 폭력.

결국은 자신에서 시작해서 자신에게로 돌아오는 당연한 것들입니다. 굳이 인생을 경쟁하며 살 필요는 없습니다. 시기와 질투가 나도 조금은 내려놓고 있는 그대로도 좋다는 사실을 경험해보는 게 가장 핵심입니다.

혼자 있으면 문제가 안 될 것들이 다른 사람들과의 비교를 통해서 문제가 시작되는 겁니다. 얼마 전 인터넷 신문 기사로 접한 개그맨 정형돈 씨의 한 마디 말이 문득 스칩니다. 꿈에 대해 고민하는 한 청년이 정형돈 씨에게 물었다고 합니다.

"정형돈 씨는 고졸이지만 지금은 나름 성공한 삶을 살고 있는데 어떻게 생각하시나요?"

"제가 생각하는 성공은 아직 멀었습니다. 아마도 질문자와 제가 가지고 있는 성공의 정의가 다른 듯합니다"

"그럼 정형돈 씨가 생각하는 성공은 무엇인가요?"

"오천만 명의 오천만 개의 성공입니다"

그렇지요, 성공이란 건 그런 겁니다. 남들이 성공했다고 말해주는 성공이어야 성공인 건 아니잖아요. 스스로가 괴로운 인생을 선택할 필요는 없는 거 아닌가요? 조금만 마음을 넓게 쓰면 인생의 폭도 넓어집니다. 확실해요.

TV프로그램 하나보고 이런 감상에 젖는 사람의 말이 얼마나 설득력이 있으려나 모르겠지만 단 한 분이라도 고통스러운 삶이 좀 나아진다면 그걸로 의미가 됩니다. 누구의 삶이든 고통스럽거든요. 혼자 고통스러워하지 말고 얼마나 고통스러운지 푸념이라도 하자구요. 돈 드는 것도 아니잖아요.

이번 연휴는 전에 없이 행복한 시간을 가족들과 보냈습니다. 뭔가 해마다 조금씩 달라지고 있는 것들을 느끼게 됩니다. 그동안 더 내려놓지 못해 더 마음 쓰지 못했던 일들이 참으로 많습니다.

남은 삶의 시간은 탐욕스러운 욕심을 깎아내기 위한 투쟁의 삶이 아닐까 합니다.

뭐가 이리도 행복하게 하는 것들이 많을까요. 부족하기 때문에, 욕심이 철철 넘치기 때문에 누릴 수 있는 비움을 통한 행복입니다. 포기도, 체념도 아닙니다. 삶에 대한 긍정적임을 긍정하는 것입니다. 받아들이고 직시하고 나면 정말 아무 일도 아닙니다.

2015년 5월 6일

#김제동 #걱정말아요그대 #폭력 #경쟁 #삶은의외로간단해욕심부리지않는것

미쳐보기

-나방 한 마리

벌써 5년이 다 되어가는 자취생활에 이제는 진저리가 난다. 혼자 산다는 것은 김빠진 콜라를 마시는 것만큼이나 내 취향이 아니다.

자취방의 문으로 향하는 좁은 통로를 지나자 나가면서 켜놓은 내 방의 불빛이 새어나온다. 이제 막 저녁 여덟시가 지날 무렵의 불이 켜진 내 자취방은 어딘지 모르게 내 마음 마냥 쓸쓸해 보인다.

내 방에 다다를 무렵, 불빛이 새어나오는 내 방 창문에 '텅텅' 거리는 소리를 내며 자신을 내지르는 나방 한 마리를 보았다. 솔직히 처음 봤을 때는 별 생각이 없었다. 다만 귀찮고 시끄럽고 무식하게 생긴 나방 한 마리였을 뿐이다. 나비하고 나방은 한 글자 차인데 느낌은 아주 다르다. 그렇게 생각하지 않은가? 분명히 말의 뿌리는 같아 보이는데 왜 이리도 어감이 다른 것인지.

의식하지 않고 지나쳐서 방에 들어갔다. 딱 들어선 나의 자취방은 그야말로 가지런함의 진수를 보여주고 있다. 처음 자취를 시작할 때만 해도 어지럽히는 것이 예사였고 치우는 것이 행사였다. 하지만 시간이 갈수록, 혼자사는 시간이 늘어갈수록 청소 기술도 늘어갔으며 스스로에게서 궁상스러움을 느끼지 않기 위해서 더욱 정리하는 버릇이 생겼다.

간단하게 씻고 이제 20여일 앞으로 다가온 교원임용시험을 위해서 베고 자면 딱 좋을 교육학 책을 펼쳤다. 아직 남아 있는 술기운인지 속이 거북해 자리를 박차고 일어나 시원한 탄산음료를 마셔볼 심산에 물건을 사러 동네 슈퍼에 갔다. 그런데 오면서 보니 아직도 아까 그 무식하게 생긴 나방이 내 방 창문에 '텅텅'거리고 있는게 아닌가. 역시나 무심히 지나치고 방에 앉아서 교육학 책을 읽기 시작했다.

하지만 이내 난 쉽게 정신을 모을 수가 없었다. 조용해서 그런지 아까는 안 들리던 나방이 내 방 유리창에 자꾸 자신을 내 맡기는 소리가 들리기 시작한 것이다.

나방을 위해서가 아니라 책을 보아야 하는 나 자신을 위해서 혹시나 하는 마음에 방 불을 한 일분쯤 꺼보았다. 그랬더니 신기하게 조용해졌다. 이제 갔겠지 하고 불을 켜자 단 몇 초도 지나지 않아 나방의 '텅텅'거림은 또다시 시작되었다. 나중엔 너무 안타까운 마음이 들어 문을 열어주고도 싶었지만 여러 사람이 사는 집이라 유독 높이가 낮은 그 창문은 도둑님을 방지하기 위해서 열지 못하게 주인집에서 고정을 해버렸다.

너무 신경이 쓰여서 밖으로 나가서 신문을 접어 휘두르며 나방을 넓은 곳으로 몰아내려고 무던히도 애썼는데 이 나방은 내 마음을 아는 건지 모르는 건지 언제고 다시 날아들어서 똑같은 움직임을 보였다. 거의 포기하고 방에 들어와서 그 소리를 신경 안 쓰려고 무던히 노력했지만 실패하고 말았다. 그래 오늘은 술기운도 있고 하니 일찍 자기로 하자는 마음으로 편하게 잠에 들었다.

아침에 방을 나서다 보니 그 나방이 좁은 통로의 시멘트 바닥에 떨어져 죽어있었다. 아침 일찍 도서관으로 향하던 나는 문득 발걸음을 돌려 고향집으로 향했다. 그러고 싶었다.

자기가 죽도록 언덕 위로 돌을 굴려 올려야 했던 불쌍한 시지프스도 아니고, 왜 그랬을 까나. 뭐 나방이야 으레 그런다고 생각했지 왜 그럴까나 생각해 본 적이 없다.

예전에 친구들이 농담처럼 '불나방' 이야기를 하곤 했다. 자기 몸이 타들어 가는 걸 알면서도 그 뜨거운 백열등에 붙어 죽어가는 그 나방 말이다.

나방.

참 어이없을 만큼 무모하지만 또, 어찌 보면 그게 본능이니 어쩔 수 없을 듯도 하다.

나를 실은 버스는 고향집으로 향하고 있었지만 내 생각은 저기 전남의 어느 초등학교와 광주나 다른 대도시의 어느 초등학교 사이를 왔다 갔다 하고 있었다. 처음 교대를 입학하면서 마음속으로 전남으로 가서 흙냄새 가득한 사내아이들의 선생님으로 평생을 살겠노라 다짐했었고 졸업반이 된 최근까지도 그 다짐에는 변화가 없었다.

하지만 엄청난 초등교원부족사태를 보면서 그 동안 고개 숙이고 있던 이기심이 자꾸 나를 자극했다. 내가 왜 여건도 나쁘고 교육 환경도 열악한 전남에 가야하지 도시로 가서 편하게 교사 생활하면 안 되나. 이런 생각들이 차츰 커져가고 있었다. 전남으로 향하는 선배들을 간간이 보아왔던 나지만 전남의 교육은 솔직히 말하자면 여건이 열악하다.

전남으로 가겠다는 나를 두고 선배님들이나 은사님들은 무던히도 구박을 하셨다. 아무리 굳은 신념을 가지고 시작해도 여긴 너무 힘든 곳이라고 말이다. 긴 생각의 꼬리가 잘리질 않는다. 스스로에게 배신감도 느껴지고 치밀어드는 자괴감도 잘라낼 길이 없다.

우리나라 교육은 너무나 많은 왜곡이 있다. 학부모들은 선생님을 선생님이라 부르지 않고 '선생'이라 한다. 학생들에게도 선생님은 없고 '꼰대'가 수십만에 이를 뿐이다. 선생님도 마찬가지다. 제자는 사라진지 오래고 모두가 수십만의 '학생'일 뿐이다. '스승'과 '제자'가 사라진 교육은 이미 시장에 불과하니까.

좋은 선생님은 좋은 제자 없이 불가능하며 좋은 제자 역시 좋은 선생님 없이는 불가능하다. 서로에게 요구하기만 하지 자신이 내어주려고 하지 않는 것이다. 차라리 이런 고민이라면 자신 있다. 하지만 일평생을 두고 해야 할 '교사'란 직업과 '선생님'이라는 신념사이에서 줄다리기를 하는 것은 정말 힘든 일이다.

이제 와서 흔들리는 내가 참 안쓰럽다. 내가 자취방 통로에 죽어있던 나방을 보며 교육학 책이 가득 든 가방을 메고 고향으로 향한 것은 절대 나방 때문이 아니다. 나방 곁에 같이 죽어있던 나의 의지 때문이다.

살면서 나방처럼 미치도록 백열등을 흠모해 본적도 없고 그렇다고 타들어 가는 몸으로 그 영롱한 빛을 향해 몸을 내 던진 적도 없다. 타들어 가는 몸을 알면서도 백열등을 향해 모여드는 나방이 될 것인지 아님 유채꽃밭을 유유히 나는 나비가 될 것인가는 아직 모를 일이다. 아니 알고 싶지 않다. 지금의 번데기 상태가 좋다.

흔들리는 버스 때문에 내 신념과 마음도 흔들린다. 이게 다 버스 때문이다. 절대로 버스 때문이다.

2002년 11월 3일

#신념 #신념대로사는일은대단한용기가필요한일 #나방의추억

창틀을 달아야 할까?

-답답한 마음으로

 세상에 마음과 마음을 잇는 수많은 해법들이 있으리라. 수십 년을 두고 이어가는 친구들과의 우정, 절대로 끊을 수 없는 부모와 자식 간의 끈, 그리고 어느덧 어른이 되어 사랑이라는 이름이 붙은 연결고리.

 투명한 유리창 앞에 붙어 서서 밖을 내다보았다. 미끈한 유리 밖으로 이제야 불어대는 봄바람과 아직은 미련남아 못 떠나고 운동장에 서있는 겨울바람이 흙먼지를 일으키며 실랑이를 벌이고 있는 모습이 눈에 들어온다. 그리고 그 실랑이 사이에 깃대에 걸린 깃발마냥 펄럭이는 웃음 뿌리는 아이들의 놀이가 있다.

 요즘은 창문 곁에 서있는 날이 많다. 아니 하루 중 창문 곁에 서서 지내는 시간이 늘어났다. 커피 잔을 들고 여유롭고 평화롭게 다가서 있는 것이 아니라 그저 답답한 마음에, 그저 답답한 심사에 다가서 있는 것이다.

 한 집안의 가장과 어머니를 모시는 큰아들로서의 나. 그리고 어느 결에 생겨난 여자 친구 사이에 서있으려니 그 동안 잊고 지내던 가슴 답답함이 다시 아른거린다. 어느 것 하나 쉽사리 떨쳐버릴 수 없는 명제이다 보니 늘 결론 부분에 남는 것은 '답답함'이다.

내게 주어진 24시간의 기간 동안 내가 온전하게 쓸 수 있는 나를 위한 시간은 얼마나 될까. 아침에 일어나서 학교에 오면 오후 5시까지는 나라의 녹을 먹는 선생님으로 살아야 하고, 그 이후에는 내 시간이었으면 하지만 모든 일이 그렇듯이 학교일 역시 시간 맞춰 나를 보내주지 않는다.

나도 시간을 누리면서 하고 싶은 것이 많다. 하긴 그렇게 직장생활하면서 하고 싶은 거 다하고 사는 사람이 얼마나 될까. 같은 고민을 하는 사람들의 마음을 가늠해 보면서도 어쩔 수 없이 나는 시간에 군침을 흘릴 수밖에 없다.

어느 매체에나 그런 질문이 등장한다. 애인과 부모님이 물에 빠지면 누구를 먼저 구할 것인가 하고 말이다. 정말 얼마나 어리석은 질문인지 모른다. 하인즈 딜레마만 해도 정말 많은 도덕적 사고과정을 거쳐야만 결론을 낼 수 있고, 그 결정 역시 정당하다 말할 수는 없다. 그럼에도 불구하고 사람들은 그런 무모하고 대담한 도덕적 명제를 쏟아낸다.

언제나 도덕적 판단을 내리는 학습을 할 때는 반드시 그 수준에서 결론을 내릴 수 있는 상황을 주어야 한다. 자그마한 도덕적 상황에도 무뎌해진 사람들이 그런 엄청난 명제를 앞에 놓고 장난하는 거 보면 화가 나기도 한다.

이야기가 곁가지를 친다.

지금 내 앞에 주어진 도덕적 상황은 정말 많은 고민과 한숨을 나에게 준다. 정말 어느 것 하나 쉽사리 지나칠 수 없기 때문이다. 그래서 내가 할 수 있는 것은 고민하되 결론 내리지 않는 것이다.

그래서 요즘은 창문 가까이 많이 선다. 하지만 창문은 내게 예기치 않은 한 가지를 안겨 주었다. 유리창은 시원하게 나를 밖으로 인도하는 것이 아니라 그 몽롱한 투명함을 무기 삼아 나를 놀리듯 안과 밖을 다시금 갈라놓은 것이다. 숨소리조차 건너오지 않게 말이다.

창 내고자 했던가. 아니다. 이 내 마음에 창틀을 내고 싶다. 열고 닫았다 말할 수 있으되 닫더라도 이야기할 수 있고 숨소리 건널 수 있는 창틀만 내고자 한다. 사춘기도 아닌데 꼭 그때 어느 날처럼 가슴이 답답하다.

2004년 3월 9일

#가슴답답함 #소통 #수다가필요해
#때론꼭답이없어도스스로에게질문을던지다보면그걸로도시원해진다

사랑니

-삐딱하게

며칠 전부터 한쪽 턱을 감싸 쥐고 인상을 쓰고 다녔다. 이유는 다름 아닌 사랑니 때문이다. 이제까지 입안 깊이 나던 사랑니들은 내게 특별한 신경을 쓰도록 하지 않게끔 아무 탈 없이 잘 자라 주었는데 마지막에 나온 사랑니 하나가 나를 매일 신경질 속에 가두었다. 항상 내가 하는 일은 마지막이 삐딱한데 역시나 내 몸의 한 부분인 사랑니마저도 내 것임을 보란 듯이 알리려고 나를 이렇게도 괴롭히나 보다.

참다못해 가족들에게 이야기하니 근처 보건소를 가보라 한다. 지금 근무하는 곳은 작은 섬마을이다.

이곳 섬마을의 보건소는 참 외지다. 마을에 있질 않고 마을이 훤히 내려다보이는 전망대처럼 마을의 언덕배기에 자리 잡고 있으니 말이다. 우리 반 아이들이 아프거나 하면 일이 바쁜 부모님을 대신해서 많이 가보긴 했지만 오늘은 드디어 환자가 되어 보건소를 찾았다.

보건소에는 젊은 사람들이 많다. 나와 비슷한 또래의 직원들도 있고, 학부형도 있고, 형님뻘의 의사선생님들도 있다. 그래서 보건소는 이 섬하고는 다르게 활기가 있어 보인다. 하루하루 섬사람들의 시름을 껴안고 사는 사람들이지만 확실히 활기차다.

오늘은 우리 반 아이들 때문에 낯이 익은 의사 선생님께서 굉장히 큰 소리를 치셨다. 지난번에 아이들과 왔을 때 사랑니가 아프다고 했었는데 그때 바로 오질 않았다고 말이다. 미안한 마음이 앞서지만 나의 미련스러움이 어디 하루 이틀 일이어야 말이지.

사진을 찍어보니 사랑니가 밖으로 드러나지 않고 속에서 잇몸을 찢어놓아 굉장히 통증이 심했다. 그래도 썩은 게 아니라서 다행이라 여겼는데 웬걸 더 큰 산이 버티고 있었다. 사랑니의 뿌리가 휘어있는 것이다. 나와 동갑내기 치위생사 J씨가 보더니 시간이 좀 걸릴 거 같다는 한다. 아니나 다를까 의사 선생님도 보시더니 시간이 좀 걸릴 거라고 하신다.

그렇게 진료대에 눈을 가리고 누워 있자니 여간 겁이 나는 게 아니다. 항상 의사선생님이 처방전을 쓰실 때면 주사 대신 약으로 해달라고 엄살을 있는 대로 떠는 나는 더욱 겁이 났다. 그림자로 보이는 여러 움직임은 진료 내내 무척이나 나를 두렵게 했다. 의사선생님은 그런 내 마음을 아셨는지 '다 됐습니다'라는 말을 한 시간 동안 하셨다.

사랑니의 뿌리가 휘어 함부로 빼면 이가 중간에 부러질 수 있어 더 시간이 걸린다고 설명을 해 주셨는데, 절반은 알아듣고 절반은 무슨 말인지 잘 모르겠더라.

그렇게 얼마나 시간이 지났을까 하고 시계를 보니 시작할 때보다 두 시간이 지나있었다. 사랑니를 빼기 위해 절개했던 잇몸을 꿰매고 거즈뭉치를 뽑은 이 사이에 물려주시며 다 됐다고 하셨다. 일어나면서 뽑아 놓은 이를 보니 정말 거짓말처럼 이의 뿌리가 낚시 바늘마냥 휘어 있다. 선생님도 이렇게 어려운 경우는 오랜만이라며 고생했다는 말을 건네셨다.

그 뽑아 놓은 이를 보니 왠지 모를 웃음이 나왔다. 그 이를 보니 주인의 심성이 그대로 보인 것이다. 당연하지 내 사랑니니까. 나는 만사를 삐딱하게 보는 성향이 있다. 좋은 일도 항상 한번을 뒤집어 생각하여 스스로 독단에 빠질 때가 많은 편이다.

어쩌면 나 역시 내가 속해 있는 집단에서 오늘 뽑은 사랑니마냥 다른 사람이 쉬 다가오지 못하게, 또 쉽게 나를 끌어낼 수 없게끔 못되게 휘어 자란 건 아닐까하고 생각해 봤다. 썩 내키는 일은 아니다.

하지만 내게 오늘 위안이 되는 것은 그렇게 못되게 자란 이를 정성스레 뽑아줄 수 있는 의사선생님이 계시다는 것이다. 못되게 휘어 자란 내 생각과 삶도 그렇게 시간이 오래 걸리더라도 결국엔 뽑아줄 누군가가 있을 거라는 희망이 마취에서 점점 감각을 찾아가는 내 사랑니 뺀 자리의 고통처럼 차츰 차츰 피어나기를 소망해 본다.

2004년 10월 26일

#사랑니 #십년도훨씬넘은일이네 #여전히나머지사랑니는잘자라는중

혼자 영화보기

-분홍의 립스틱을 바르겠어요

오랜만에 혼자서가 아닌 누군가와 같이 영화 '광복절 특사'를 보러 극장을 찾았다. 혼자서 누비는 극장도 여러모로 묘미는 있으나 상당히 구차하고 껄끄럽다. 늘 끊는 표 한 장도 부끄럽고, 불쑥 내미는 초대권 두 장도 민망하다. 한 장만 내고 바꾸자니 주위의 시선과 표를 파는 아가씨의 시선이 부담스러워서 두 장을 내고 표와 교환한 뒤 한 장은 늘 주머니 속으로 간다.

누군가와 영화를 보는 것은 절대로 어려운 일이 아니다. 다만 여자든 남자든 친구나 후배 등등, 세세한 감정적인 교감이 없는 사람들과 어울려 영화를 보는 것이 언제부터인가 껄끄러워졌다. 만약 영화 자체를 좋아하지 않았더라면 혼자서 영화를 보러 다니는 일도 못했을지 모른다.

친구들과 어울려 소주 한 잔을 기울이고 노래방에서 악을 쓰며 노래를 부르고, 영화를 보러가서 실컷 웃어대고. 마음의 묵은 때를 벗기러 나간 오늘은 대성공이다. 하지만 다시 돌아와 들어선 집이 이리도 허전할까. 방안을 가득 메우는 이 무거운 허망함을 가눌 길이 없다.

인간은 외롭다하나 절대로 외롭지는 말았으면 한다. 세상에 득실거리는 50억이 넘는 사람들이 저마다 모르는 사람으로 살아가야 한다는 사실이 요즘 들어 더 아련하다. 오늘 친구가 물은 햇살의 흔적이 무엇이냐는 질문과 숟가락의 숟은 왜 'ㄷ'받침인지에 대한 고민과 함께 꽤나 괴로운 고민이다.

겨울 나무와
바람
머리채 긴 바람들은 투명한 빨래처럼
진종일 가지 끝에 걸려
나무도 바람도
혼자가 아닌 게 된다

혼자는 아니다
누구도 혼자는 아니다
나도 아니다
하늘 아래 외톨이로 서 보는 날도
하늘만은 함께 있어주지 않던가

삶은 언제나
은총의 돌층계의 어디쯤이다
사랑도 매양
섭리의 자갈밭의 어디쯤이다

이적진
말로써 풀던 마음 말없이 삭이고
얼마 더 너그러워져서 이 생명을 살자
황송한 축연이라 알고
한 세상을 누리자

새해의 눈시울이
순수의 얼음꽃
승천한 눈물들이 다시 땅 위에 떨구이는

백설을 담고 온다

-김남조, '설일(雪日)' 전문

내 삶은 은총의 돌층계 어디쯤이며 내 사랑은 섭리의 자갈밭 어디쯤인지도 생각해본다. 겨울날치고는 햇살 좋던 오늘의 감사한 낮과 하루의 곤함과 이 고요를 주는 밤, 모두에게 고마운 마음이다. 내 기억에 밤 빛깔 칠하고서 돌아서려 한다. 그 빛깔 짙을수록 빛나는 내 그 기다림의 마음 더 빛나기를 기도해 본다.

그리고 웬일인지 오늘 밤은 송윤아 씨가 예쁘게 불러대던 분홍립스틱이 귓가에서 사라지지 않는다.

2002년 12월 1일

#영화 #광복절특사 #송윤아 #강애리자 #분홍립스틱
#오늘밤만은그댈위해서분홍의립스틱을바르겠어요

세탁소 가는 길

-마음도 세탁이 되나요?

돌아오는 토요일은 대학 졸업앨범 사진을 찍는 날이다. 몇 벌 안 되는 양복을 뒤져서 그래도 쓸 만하다 싶은 걸 골라서 입어 보니 아직은 그럭저럭 입을 만 하다. 하지만 그간 신경 써서 관리하지 않아 단추가 헐렁한 곳도 있고 제대로 다려야 해서 옷걸이에 양복을 걸고 동네 세탁소로 향했다.

세탁소 아주머니께서 바쁘시다며 맡겨 놓고 내일 오후 늦게 찾아오라고 하셨다. 솔직히 걱정하는 마음이 있었다. 지난번에도 미리 부탁드렸는데 안 되어 있어 난감했던 적이 있기 때문이다. 두 번이야 그러시겠냐는 생각이었지만 그래도 혹 모르니 몇 번이고 당부를 하고 돌아섰다.

그리고 다음날 다시 세탁소를 찾았다. 왜 슬픈 예감은 언제나 틀린 적이 없는지 모르겠다. 세탁소에는 내가 전날 놓아둔 양복이 한 치의 흐트러짐도 없이 놓인 자리에 그대로 쭈글쭈글 자리 잡고 있었다. 약간은 다급함이 섞인 목소리로 아주머니를 재촉하고는 문 바로 옆에 동글이 의자를 놓고 앉아서 바깥 길에서 노는 아이들과 동네 개들, 지나가는 사람들을 무심히 쳐다보고 있었다.

좀 앉아있는데, 할머니 한 분이 세탁소 앞 평상에 동네 슈퍼에서 물건을 들이고 나온 상자들을 가져다가 바르게 펴고 계셨다.

세탁소 아주머니 이야기로는 노인분들이 소일거리로 폐지를 모아서 고물상에 팔기도 하시고, 이 일로 생계를 이어가시는 노인분들도 계시는데 그 할머니가 그런 경우라고 말씀해 주셨다. 그래서 동네 슈퍼들이 거기서 나오는 모든 상자를 그 할머니께 드린다는 이야기도 귀띔해 주셨다.

그 순간, 아주머니가 하시는 이야기를 들으셨는지 그때까지 묵묵하게 상자를 펴시던 할머니께서 갑자기 너털웃음을 웃으시면서 우리를 향해 이렇게 말씀하셨다.

"놈덜은 시원한데서 맛난 거 먹고 사는디, 내 꼬라지는 이랑께 징하네. 나중에 죽어서 저승 가서 살면서 뭐하다 왔냐고 물어보믄, 놈덜이 버린 쓰레기 상자 모아서 팔다가 왔소 해야 쓰겄네"

그 소리를 지나가던 동네 아주머니가 들으시고는 한마디를 거드셨다.

"그래도 인역은 자식 농사는 잘 지었제"

세탁소 아주머니도 마냥 웃으시기만 했다.

하지만 내 마음은 심장에 화살이 꽂힌 것 같은 느낌이 들었다. 뭔가 싫다거나 아픈 그런 느낌이 아니라 되게 얻어맞은 듯한 기분이었다. 우선은 당황스러웠다. 무척이나 당황스러웠다.

'너는 살아있을 때 무엇을 하다 왔느냐?'

단 한 줄의 질문이지만 지금 묻는다면 내일 모레 대학을 졸업하는 이 시점에도 뭐라 말해야 할지 모르겠다. 생각해 본적도 없다.

지금까지 젊다는 핑계 하나만 가지고 용서되는 일들이 너무나 많았다. 하지만 늘 젊음이 영원하지 않으리란 사실을 자각하면서도 그 중요성에 관해서 무심하게 지나쳤다. 사서도 한다는 고생을 경험하지 못한 풋내기 애송이의 참담한 일상은 할머니의 한마디로 완전히 무너져 내렸다.

잘 다려진 옷을 들고 자취방으로 향하면서는 눈물이 나올 것만 같았다. 스물 세 살의 청년이 짧지 않게 사는 동안 무엇을 했으며, 또 무엇을 하려고 하는가에서 뛰기 시작한 내 생각은 달리고 달려서 어느덧 머리가 하얗게 센 나를 보여주고 있었다. 그리고 그 나이에 내가 할머니의 말씀과 같은 이야기를 했을 때, 주변의 사람들은 내게 무슨 말을 할 것인가에 대해서.

봄이 왔노라고 떠들고 졸음에 겹던 나는 엊그제까지 여름의 문턱에서 땀을 닦아내며 다시 올 시원한 가을을 생각하고 있었다.

하지만 오늘은 내 삶이 어느 계절에 와 있는지 생각해 본다.

내 삶의 계절은 어디쯤일까. 이제 봄은 아니리라. 지금 내가 서 있는 여름, 이제 막 더워지기 시작하는 초여름 어디쯤이리라. 이 여름에 부지런히 꽃을 피우고 햇볕을 받아 열매를 맺고, 그 열매를 실하게 키우지 않으면 가을이 찾아왔을 때 거둬들일 아무 것도, 감사할 아무 것도 없을 것이다. 그리고 추운 겨울이 찾아와 매서운 겨울바람이 내게 물을 것이다.

"너는 여름 동안 무엇을 했느냐?"

라고.

그때, 그 겨울바람에게 많은 이야기를 들려주려면 많은 이야기거리를 만들어 두어야겠다. 그래서 내 이야기를 들은 겨울바람이 여름이 다시 돌아오는 길에 내가 가고 난 다음 또 다른 열매를 키울 새로운 나에게 좋은 이야기를 해 줄 수 있도록 부지런히 뭔가를 해두어야겠다.

양복 한 벌 다리러 간 세탁소였는데 할머니의 몇 마디에 고민거리가 한 아름이 되었다.

내가 수선 받아 온 건 양복뿐만이 아닌 듯하다. 스물세 살이 되는 동안 나태함이란 얼룩에 찌든 삶이란 옷도 진지하게 세탁해 온 느낌이다. 사는 동안 무엇을 해야 할지 다 정할 수는 없겠지만 치열하게 할 수 있는 일들을 해나가야겠다. 그래야 이야깃거리가 많아질 테니까.

2002년 6월 1일

#세탁소 #마음도세탁하고싶다 #하루그리기 #청년의하루 #삶으로배운지식의힘

감기 한잔, 외로움 두 스푼

감기 한잔, 외로움 두 스푼
-레몬티가 가져온 행복

학교 아이들과 경주로 역사 체험학습을 다녀온 후 지독한 감기를 벌써 일주일 가깝게 앓고 있습니다.

처음에는 좀 수그러드는 듯 하더니 엊그제 부터는 열이 펄펄 끓고 몸을 추스를 수 없을 만큼 아파옵니다. 꾸준히 약을 먹어서 그런지 어제 아침에는 좀 괜찮아지는 듯 싶었지만 이내 아침에 먹은 약기운이 떨어지니 또 온 몸에 열이 끓고 아파왔습니다. 그래서 어제 교사 체육대회가 있는데도 불구하고 교장선생님께 따로 말씀을 드리고 조퇴를 내고 병원에 들러 집에 가서 쉬게 되었습니다.

아프다는 이야기를 누구에게든 안하고 싶습니다. 왜냐하면 쇠도 먹을 것처럼 생겼다고 하면서 아프다면 다 엄살이라고 치부해 버리기 때문입니다. 이게 농담일 때는 괜찮은데 진짜 아플 때는 서운한 마음이 듭니다. 그래도 진짜 아플 때는 아프다고 말해야 합니다. 농담처럼 아플 데가 어딨냐고 난리들이지만 사람이 아픈데 외모가 영향을 미치나요. 아픈 건 아픈 거지요. 아파서 아프다고 하는 겁니다.

이상하게 아프면 외로움이 저 멀리서 손짓합니다. 누군가 말을 걸어도 대답할 기력도 없고, 대답할 의지도 안 생깁니다. 말을 앓고 쉬고 싶은데 말을 하게 만드는 사람들이 참 밉습니다.

게다가 말을 하게 만드는 사람들이 하게 만드는 말은 별로 쓸데가 없는 말들입니다. 뭐 다들 그렇게 남 이야기 하는 걸 좋아하는지 모르겠습니다. 어느 정도 살고 나면 사람이 귀가 순해져서 남들 이야기는 그저 그렇게 담고 밖으로 내는 일이 없어지는 줄 알고 있었는데 주변을 보면 꼭 그렇지도 않은가 봅니다.

아픈 사람한테 왜 남 이야기를 하면서 말을 하게 만드는 건지 알 수가 없네요.

그저 아플 때는 말없이 지켜보면 좋겠습니다. 그것도 아니라면 아예 무관심 해주었으면 좋겠는데 기어이 말을 걸고 듣기도 싫은 농담을 하기 일쑤입니다. 그냥 아픈 사람을 말없이 지켜보다가 도움이 필요하다고 하면 그때는 진심으로 도와주면 되는 겁니다.

말로 떠드는 걱정일랑 접어두시면 좋겠습니다. 진심이 없는 친절은 사기라니까요. 적어도 진심이 없으면 진심이 있는 척이라도 해주는 게 바로 '서비스업'입니다. '진심인척'을 우리는 비용을 지불하고 소비하고 있는 것이니까요.

이리도 아픈 와중에 몸을 눕히지 못하고 금요일 마감인 보고서 하나를 마무리하면서 별 생각이 다 들었습니다. 이렇게까지 해서 마무리를 해야하나 부터, 시작한 일은 마무리가 아름다워야 한다는 생각, 그냥 다 모른 체하고 눕고 싶다는 생각이 계속 삼분의 일씩 지분을 가지고 가슴 속에서 싸움질을 해댑니다. 그래도 일말 남은 책임감이 이 사태를 진압하고 결국 링거 투혼으로 보고

서를 마무리 짓습니다.

몸 아프던 밤을 보내고 출근한 아침. 메신저에 인사를 건네는 사람이 있습니다. 평소 인사하고 그런 사람이 아닌데 뜬금없이 안부를 묻습니다. 그래서 굿모닝이라고 답장을 보내주었습니다. 아마도 요 며칠 골골대는 걸 보고 걱정이 되었나 봅니다. 그 안부 하나에 뭐랄까 아파서 신경질이 나는 아침이 약 없이도 조금은 나아졌다고 해야 할까요.

쉼 없이 8시간 수업이 있는 날이라 몸 상태는 안 좋았지만 언제나 수업은 즐거워야 하니 방긋 웃는 얼굴로 우리 반 아이들과 공부를 합니다.

아무리 몸이 힘들고, 화가 차올라도 수업 시간에는 학생들의 선생님이기 때문에 잘 웃고 잘 떠들며 수업합니다. 그래야 전문가니까요. 이거에 휘둘리고 저거에 휘둘리고 그러면 전문가가 아닙니다. 한결 같이 자기 관리 잘하고 맡은 일에 최선의 노력과 능력으로 최선을 다해야 진정 전문가라고 생각합니다.

오후 수업까지 모두 마치고 어제 마무리 지은 보고서를 우체국 갈 일이 있다는 선생님께 부탁드려 발송했습니다. 선생님께서 나갔다오시면서 붕어빵을 사왔다며 우리 반 아이들에게 건네고 가셔서 참 고마운 마음이 진심으로 솟았습니다. 요즘 일에 치이고 감기에 힘이 빠져서 우리 반 아이들과의 살가운 시간이 줄어들고 있던 찰나에 마음을 다 잡고, 다시 학생들에게 마음을 집중하는 약이 되었습니다.

언제부터 이렇게 감당할 수 없는 정도로 일을 하고 있는 건지 모르겠습니다. 학교를 마치고 선생님들과 저녁 식사 후에 차를 마시려고 남자들끼리 카페로 향했습니다. 남자들끼리 카페에 우르르 몰려다니는 경우가 흔하진 않지만 수다스러운 남자들은 모이면 그렇게 다닙니다.

메뉴를 고르는데 레몬티가 눈에 들어옵니다. 그래서 주저 없이 그걸 주문했습니다. 주문한 레몬티가 우리 테이블에 나왔습니다.

뜨거운 레몬티를 한 모금 입에 담으니 저 멀리서 시속 몇 백 킬로미터 속도로 행복이 제게 달려옵니다. 오늘 하루 소소하게

복잡한 심사와 피곤한 몸을 위로하던 수많은 것들을 제치고 이 레몬티 한잔이 주는 행복함은 말도 못합니다. 기분이 좋아져서 온갖 수다가 다 쏟아져 나옵니다.

몸이 아프면 육체의 고통보다는 외로움이 더 먼저 몰려옵니다. 아프면 왜 그리도 외로운지 모르겠습니다. 어렸을 때부터 몸이 아프면 참 외로웠습니다. 아마도 이 글의 처음에 썼던 이유 때문인가 봅니다. 그저 말없이 바라보다 도움이 필요하면 진심으로 도와줄 사람이 흔치 않은 때문이지요.

누구나 다 똑같습니다. 주위 사람들의 모습은.

아프냐고 묻지만 말뿐인 사람, 관심도 없으면서 기침에는 뭐가 좋다더라 자기 이야기만 하는 사람, 생긴 건 안 아프게 생겼는데 왜 아프냐는 사람, 내가 네 나이 때는 약 한 번도 안 먹고 버텼다는 사람, 올해 들어 이번에만 크게 아픈 건데 남자가 맨날 아파서 어디에 쓰겠냐는 사람, 아무리 아파도 체육대회에 얼굴도 안 비췄다고 남 이야기하는 사람 등.

감기로 만신창이인 몸과 아프면 찾아오는 진한 외로움을 '레몬티' 한 잔으로 싹 다 비웠습니다. 새콤하고 따뜻한 차 한 잔으로 이렇게 행복해질 수 있다니 어쩌면 여자 분들이 카페에서 느끼는 힐링을 조금이나마 이해할 수도 있을 것도 같습니다. 물론 다는 아닙니다.

중년을 향해가는 남자들끼리 마신 따뜻한 '레몬티' 한잔이었지만 오늘 저녁만큼은 우리 집 보일러보다 더 따뜻하게 마음을 아랫목으로 데려갔습니다. 아픈 몸은 여전하지만 둘 중 외로움은 멀리 보내버렸으니 이 밤은 참 행복합니다.

어색해 하지 말고 좀 외롭고 힘들면 누구랑 가든지 아님 혼자라도 테이크아웃해서 따뜻한 '레몬티' 한잔 해보세요. 이 행복감이 그리로 전염될 겁니다. 이 기분 이대로 감기약 먹고 콜콜 잘 겁니다.

2014년 11월 20일

#진짜아프다고 #감기 #진심의미덕 #레몬티 #행복감 #뜻밖의행복
#오랜만에감수성터지는글이네 #그간좀바빴구만
#니가줄수있는도움을주면서오만떨지말고필요로하는도움을주라고
#잘살아야인생막살면시간낭비

옛사랑

-잘 지내고 있니?

십년이 된 일이다. 벌써 십년이 된 일이다. H와 남은 추억의 길이가. 물론 H에겐 추억이 아니라 잊고 싶은 기억의 사금파리가 되어있을 수도 있다.

지금은 눈 내리는 계절이다.

연수를 받으러 매일 사백여 킬로미터, 혹은 다섯 시간씩 길을 달린다. 큰 눈이 지나간 뒤라 즐겨 다니는 국도 옆의 풍경이 예뻤지만 길이 얼어붙어 오늘은 오랜만에 안전하게 고속도로에 올랐다. 개인적으로 고속도로는 별로 좋아하지 않는다. 마치 군 시절 행군처럼 내 의지대로 가고 설 수 없는 매우 답답한 길이다.

국도를 자동차로 달릴 때면 주로 라디오를 듣는다. 우리 어머니도 좋아하시는 무슨무슨시대 시리즈부터 학생들이 듣는 아이돌 프로그램까지 주파수를 바꿔가며, 연수원에 오는 두 시간 반 동안 울고 웃으며 온다.

하지만 고속도로에 들어서면 라디오에 집중할 수 없다. 내 앞과 뒤, 심지어 옆까지 전투적으로 달리는 자동차들과 장단을 맞추려면 애초에 효율적인 멀티태스킹이 불가능한 나는 온 신경과 시선을 길 위에 쏟아야 한다.

국도가 얼어붙어 오른 고속도로인데 웬일인지 차가 거의 없다. 매일 새벽 여섯시 삼십분에 나오던 걸 길이 너무 얼어서 어느 정도 녹을 때를 기다리다 아홉시에 출발했더니 이렇게 한가하다.

근래에 고속도로를 달리면서 이렇게 여유로웠던 기억이 없다. 여유를 찾고 나니 자연스럽게 라디오를 켰다. 그런데…… 아뿔싸.

"아무개 씨의 신청곡, 김돈규, 한에스더가 부르는……"

DJ의 멘트를 여기까지만 듣고도 나올 노래가 뭔지 본능적으로 알 수 있었다.

생각이 미처 끝나기도 전에 이미 전주와 노래가 나온다. 이 노래 십년 만에 듣는 거다. 들을 기회도, 찾아서 들을 여력도 없던 시간이었다, 그 십년의 시간은. 그리고 그 노래는 피리소리 들은 항아리 속 코브라처럼 내 기억의 항아리에서 기억 하나를, 아니 수십 개의 기억을 물고 춤을 추었다.

H.

그 기억중에서도 특히 H의 기억 앞에 서게 되자 운전대를 잡은 손에서 힘이 빠졌다. 내 삶에서 가장 짧았던 사랑이었던 H. 아니다. 내 삶에서 내가 만들어버린 가장 짧은 사랑.

대뜸 했던 내 프러포즈를 기억하고 있을까.

이문세 아저씨의 노래 제목처럼 기억이란 사랑보다 더 슬픈 것이라는 걸 실감하면서 행복했던 기억 뒤로 스치는 말 못한 미안함에 문득 그녀가 보고 싶다. 관음증 환자마냥 인터넷을 통해 쥐고 있던 그녀의 근황 역시 놓은 지 오래다.

변명이라도 했어야 했지만, 돌아선 여자의 마음이 어떤 것임을 이전에 있던 만남을 통해서 익히고 있었기에 그저 잊혀진 사람으로 남아 있는 게 더 편할지도 모른다는 생각을 하고 있었던 듯하다. 어쩌면 십년이라는 세월동안 이 사실을 어떻게 미화할까 고민하면서도 다 잊고 살았노라고 주절댔는지도 모른다. 그랬지 싶다.

할 이야기가 참으로 많았으나 그녀의 글을 보곤 할 말을 전부 삼킬 수밖에 없었다. 내가 잘못한 일이다.

오늘 라디오에서 흘러나온 그 노래 듣고선 운전을 할 수가 없었다. 내 마음이 힘들었고, 지난 시간이 자꾸 머릿속을 흔들었다. 비오는 날, 아이들의 프리지아색 노란우산처럼 이 노래도 내 기억의 한 자락을 울린다. 결국 차를 갓길에 세우고, 노래가 끝날 때까지, 또 끝나고도 한참을 서 있었다.

추억은 무서운 힘이 있다. 오늘 하루를 또 어찌 살아낼까.

지나간 인연들에 대한 애정 어린 정리가 필요할 듯하다. 이제 그 기억마저 놓을 때도 되었지. 들려오는 첫사랑의 결혼 소식과 H와 함께했던 시간을 함께한 노래도 기억과 함께 이젠 내려놓아야지.

그리고 H에게도 미안하다고 말하고 싶다. 준비가 안 된 내겐 너무 과분했으며 많이 고마웠다고. 내겐 여전히 좋은 기억으로 남아 있다는 이야기도 함께.

2012년 1월 6일

#옛사랑 #가끔생각이나긴하지 #지나간것은언제나추억처럼느껴져
#누가뭐래도지금곁에있는이가가장소중한사람

언제나 겨울

-세상은 너무도 외로운 곳이잖아

외롭다는 건 참으로 견디기 어려운 사람 심리중의 하나다. 그렇지만 '외롭다'고 말할 수 있을지는 몰라도 그것이 '어떤 것이다'라고 명확하게 결론지을 수 가 없어, 말하는 이, 또는 듣는 이에 따라 천 가지 만 가지로 그 의미가 갈린다. 그런 의미로 보자면 요즘은 좀 외롭다.

사랑했던 이가 그립다거나, 또는 부모에 대한 그리움, 또는 못 오는 것을 기다리는 절망감에서 오는 외로움이 아닌 영혼의 한 쪽이 떨어져 나간 듯한, 약간의 배신감 섞인 그런 외로움이다.

사람은 살다보면 많은 사람들을 만나게 된다. 그리고 그 만남의 횟수에서 하나를 뺀 것만큼의 이별을 하게 된다. 그것이 이성의 사랑이었다면 결혼을 통해서 이별의 횟수가 한번 줄 것이요, 그것이 부모에 대한 사랑이었다면 역시 끊을 수 없는 하늘의 뜻을 받들어 이별의 횟수가 한번 줄어드는 것이다. 그런데 막상 길지 않은 세월 살아보니, 그 이별의 횟수는 만남의 횟수와 같을 수도 있다는 남의 일 같던 사실을 최근에야 알았다.

쉽지가 않다. 이제껏 나를 버텨주고 있던, 아니 버텨주고 있다 믿고 싶었던 작은 믿음의 끈 하나를 내려놓으려고 무던히 애쓰고 있다. 그리고 그 세월에 남겨진 예쁜 선물을 볼 때면 참으로 미안할 따름이다. 나중에 시간이 흘러서 세상에 눈 뜨게 되는 그 순간 난 큰 사죄를 예쁜 선물에게 해야 할지도 모르겠다.

이제 계절도 가을을 달려 겨울로 향하고 있다. 겨울에 시작되었던 인연은 겨울의 문턱에서, 아니 가을의 어디쯤에서 다시 사그라지고 있다. 서로 무슨 생각을 가지고 있던 이 시간이 지나면, 서로에게 가졌던 오해와 이해가 뒤섞인 이런 복잡한 심경이 가시는 날, 정말 그것은 안녕으로 변해갈 것이다.

아직 늦지 않은, 조금은 따스하게 남아있는 연민을 알고 있다면 더 늦기 전에 풀무질을 하고 눈물을 흘려가며 바람을 불어내야 한다. 그렇지 않으면 그 작은 불씨마저도 사그라질 것이기 때문에.

하지만 이미 한쪽의 불씨가 꺼져가고 있다는 것을 알고는 있는 것일까.

차가운 바람 불어 가녀린 어깨 스쳐 가면
떨치려 애를 써도 텅 빈 가슴, 언제나 겨울

작은 세상 속에서 언제나 혼자이긴 싫어
떨치려 애를 써도 텅 빈 가슴, 언제나 겨울

우린 서로 기댈 곳이 필요해
세상은 너무도 외로운 곳이잖아

다시 떠난다는 말은 말아줘.
힘겨운 날을 위해 곁에 있어줘

너마저 내 곁을 떠나면,
난 기댈 곳이 없어 곁에 있어줘

떨치려 애를 써도 텅 빈 가슴, 언제나 겨울

- 그룹 봄여름가을겨울, '언제나 겨울' 가사 전문

내 가슴에 찾아온 봄이 다시 겨울로 변해가고 있다. 늘 외롭다 말해도 그 외로움에 귀 기울여 주지 않았던, 내 가슴 속 깊은 곳에서 솟아오르는 슬픈 외로움을 이해 못했던 우리의 인연은 이제 여기까지.

슬프게도 내 마음은 이제 다시, 겨울.

2006년 11월 4일

#겨울 #세상은참외로운곳 #그래도그대가있어견딜만한곳이지도
#외로움은타고난것인가보다

첫사랑

-비오는 날이면 노란 우산이 필요하다

내가 이제껏 가져본 우산 중에서 가장 사랑했던 우산은 낯익은 브랜드의 노란 우산이다. 우리 집 어딘가 아주 구석진 곳에 약간은 색이 바란 모습으로 있을 것이다. 다만 어디 있는지 굳이 알고 싶지도, 찾을 마음도 없을 뿐. 그녀와 헤어지고 나서 점점 그 우산에서 관심이 멀어졌고, 또 어디에 두었는지 굳이 기억하려고 노력하지도 않았다.

일주일동안 한 시도 지치지 않고 내리는 비를 보면서 조금은 지겹다는 생각이 들 때 쯤, 내 심장을 다시 뛰게 하는 그 우산이 생각났다. 물론 그 생각의 끝자락에 있는 우산은 언제나 그녀와 함께였다.

나는 노란색, 그것도 원색에 가까운 노란색을 좋아했다. 고등학생 시절 흘리듯이 필통을 사야겠다고 말하면 그녀는 비오는 날 비에 젖어가며 나 몰래 문구점에서 노란색 필통을 사다가 선물이라며 내밀었다. 그리고 지역 행사에 피켓걸 아르바이트로 오천원이 생겼다며 프리지아 한 다발을 사들고 와서 야간 자율학습 시간에 전하고 가기도 했다.

한 번은 내가 그녀의 생일날 새벽부터 일어나 집에서 먼 꽃집까지 가서 보기에도 부담스러울 정도의 해바라기를 한 다발 사들고 전교생들의 야유 속에 등교해서 학교를 발칵 뒤집어 놓기도 했다. 그것 말고도 노란색에 관한 추억은 유난히 많다.

그런 추억들은 항상 그녀와 함께였고 그녀와의 인연은 학창시절 십여 년이 넘게 계속 되었고 스무 살 봄이 올 무렵 아주 쉽게 끝나버렸다. 초등학교 4학년에 처음 보고서 철이 들어 사춘기를 지나고 어른의 문턱 즈음에서 우리는 그렇게 헤어졌다.

비가 계속 내리고 그때 노란 우산을 쓰고 걸었던 길이며, 학교며, 모든 것이 추억이라는 꼬리표로 내 머릿속과 심장을 두드린다. 하지만 아직도 집안 어딘가에 있을 노란 우산을 찾을 수가 없는 건 추억이라고 부르고는 있지만 아름답지 못한 일이 더 많았기 때문이었는지도 모르겠다.

지금 생각하면 왜 그리도 아프게 바라보았나 모르겠다. 새삼 사람 만나는 게 두려워져버린 지금은 조금이나마 인연의 의미를 이해할 수 있게 되었다. 친구들에게 연인이 생기고 소개받는 자리가 생기면 장난인 듯 진지하게 욕심 부리지 말라고 건넨다. 그러겠노라고 쉽게 대답하는 걸 보면서 내게 밀려드는 약간의 씁쓸함은 왜인지 모르겠다.

사랑이라는 울타리 안에는 온갖 감정들이 섞여 무섭게 싸우고 있다. 질투, 미움. 욕심, 소유. 그 많은 것들은 분명히 사랑 안에 포함되어야 하고, 사랑에 감싸 안겨야 하지만 사람이라는 존재의 특성상 어느 순간 그 내용이 뒤바뀌고 만다.

욕심과 질투에 사랑이 보이지 않는 것이다. 참 어리석다. 류시화 시인의 말처럼 지금 알고 있는 것을 그때도 알았더라면 모든 사랑이 훨씬 아름다워지지 않을까.

이제 그녀는 내 곁에 없고, 평생을 두고 말 한마디 편하게 하지 못하는 사이가 될 수도 있다. 서로에게 많은 상처만 남기고 묻혀버린 둘만의 이야기는 이렇게 내 작은 글 속에서나 볼 수 있을 것이다.

헤어지고 얼마동안은 다시 손을 내밀고 싶었다. 그녀는 집착이라고 불렀지만 어떤 경우에라도 그녀의 손을 들어 주고 싶다. 물론 그때는 우정이라는 이름이어야겠지만.

비가 오면 어김없이 너그러워진다
하릴없이 더없이 너그러워진다

살면서 우는 날은 점점 줄고 계산하는 날은 많아지는데
여전히 마음 열일곱의 늙은 아저씨는 내리는 빗소리면
다 내려놓고 턱을 괴고 앉아 창밖만 바라본다

아무것도 하기 싫어
시로 남기는 우울은 어디론가 다 날아가고
실처럼 떨어지는 이 빗소리에 바늘을 꿰어 추억을 깁는다

노란 우산으로 장맛비를 누비던 시절
그녀 보러 폭우를 뚫고 달리던
아팠지만 혼자라도 웃음 넘치던 시절
이젠 그 무엇도 내 뜻 같지 않지만
저 내리는 비만큼은
누가 시키지 않아도 내 마음처럼 내린다

내려라,

그렇게 울어대고 나면 나도 너도 후련해 질 테지

울고 싶은 요즘이언만
말라버린 눈물은 번지를 못 찾는다

혼자라서 외롭던 시절은 이제 내겐 사치다

누구나 외롭게 살라하지만 어느덧,
외로움이 친구 된 나는,
비오는 오늘 이리도 너그러워진다

-이세일, 시집 '사랑의 끝에서' 中 '비' 전문

사랑에 망설이는 사람이 있다면 오늘같이 비오는 오후에 노란 우산 하나를 들고 그녀에게 가라. 그리고 작은 우산 속에 그녀를 태우고 몸을 부대끼며 오래 걸어라. 그리고 그 길이 끝자락 즈음에 이르면 가차 없이 고백하라. 비가 오면 사람이 그만큼 너그러워지니까.

2002년 8월 14일

#첫사랑 #노란우산 #비오는날 #지금도비만오면좋다
#남자는첫사랑을찾아평생을살고여자는첫사랑의재현을위해평생을산다고한다

남자, 서른여섯

-내 안의 로맨틱한 그 남자

이제 7월의 끝자락이다.

의식도 않고 있었는데 매미도 울어대고, 누가 잠자리를 쏟아 놓은 것 같다던 우리 집 둘째의 말처럼 사방에 잠자리 떼가 무리지어 여자 마음처럼 알듯 모를 듯 예상 할 수 없이 공중을 나는 그런 계절이다. 그리고 나는 내 삶의 어느 계절에 놓여있다.

늘 어디에 있는지 누구인지 고민이 많아 아직도 철이 덜든 개구쟁이처럼 보이는 나다. 그리고 하루의 의미를 찾으면서 주변 사람들에게 무엇을 위해 사는지를 물어 곤란하게 하는 여전히 무지개를 좇는 사춘기 소년 같은 속없는 아저씨다. 이렇게 나는 긍정적이든 부정적이든 그런 사람이다. 나 말고 누구라도 우리 모두는 그런 사람이다.

문제는 내가 누구인지는 참 많은 정의를 가지고 있지만 정작 내 마음에 쏙 드는 또는 내가 인정하며 고개를 끄덕일 수 있는 정의는 그리 많지 않다는 것이다. 물론 이 부분 다분히 상대적인 것이라 모든 사람들이 너는 그런 사람이라고 동의를 해도 내가 인정하지 않으면 내게 의미 있기는 이미 그른 일이긴 하다.

그렇지만 점점 알게 되는 삶의 진실은 삶은 그냥 사는 것이란 것이다. 고민하고 살면 삶은 더 꼬이고 힘들어 진다는 것도 더불어 알게 된다.

학교라는 공간은 일 년에 두 가지의 계절이 있다. 한 번은 선생님들의 인사이동과 두 번의 행정실 선생님들의 인사이동이 그것이다. 단순히 사람만 바뀌는 것이 아니라 뭔가 학교의 패러다임과 직장 또는 사람 관계에 대한 패러다임에도 변화가 오기 때문에 단순히 인사이동이라고 말해버리기엔 너무 간단하지도 그렇다고 아주 복잡하다고 말해버리기에도 어려운 부분이 있다.

그리하여, 올해는 나를 포함 두 명의 선생님만 남고 인사이동으로 사람이 모두 바뀌었다. 그리고 지난 7월초 행정실 선생님 한 분이 가시고 행정직으로 신규 발령받은 여선생님 한 분이 새로 오셨다. 나이는 꽤 있었지만 신규라는 말은 모든 설렘을 담고 있는 말인 듯하다. 이렇게 우리가 속한 세상 속에선 항상 사람 환경의 변화가 일어난다.

하지만 한편으로는 이런 사람의 환경이 바뀌는 일은 사람이 사는 동안 매일매일 일어나는 일이기도 해서 그렇게 큰 감흥이 없다. 사실 누가 오든, 또 누가 가든 내겐 큰 의미가 없어진 시점이 있다. 아마도 결혼이 아닐까 한다. 결혼과 동시에 세상에 둘도 없는 소속감으로 난 그저 가정에 속한 남편이자 아빠이자 가장인 그저 흔한 아저씨가 되어 원하든 원하지 않던 감정이란 없는 남자, 즉 아저씨로 살아 왔으니까.

아직은 많지 않은 나이 탓에 학교라는 곳에선 젊은 축에 속해 학교의 다른 젊은 선생님들과 자연스럽게 어울리며 지내게 된다. 게다가 어쩔 수 없는 이유로 내 나이는 근무하는 지역에선 선배

선생님들과 후배 선생님들의 딱 중간인 나이가 되어 있다. 그래서 여러 가지 일이 많기도 하고 누구라도 성격 좋게 지내야 하는 당위적이지 않은 당위성을 갖고 생활해야 하는 점도 있다.

오랜만에 신규발령 받아온 젊은 선생님 덕에 오랜만에 환영회 겸 젊은 선생님들의 식사 모임이 생겼다. 그게 벌써 3주전이니 시간은 야속할 정도로 빠르기도 하다. 그렇게 어울린 자리에서 다들 그 선생님의 엉뚱하지만 솔직하고 패기 있는 모습에 다들 성격 좋다고 한마디씩 했다. 물론 자세히는 알 수 없지만 학교생활도 잘 하고 있을 거라고 예상해 본다.

그동안 여러 가지 이유로 선생님들과 교류할 시간이 없어 나름 이렇게 어울리며 그들의 이야기를 듣고 나누며 아직 남은 나의 젊음을 누리고 있는 중이었다.

어느 날 회식이었을까?

그날은 전체가 모이지 못하고 몇몇 선생님들만 모이게 되었다. 그래서 식사를 하고 이제 조금 친해져서 인지 다들 자신들의 이야기를 꺼내놓기 시작했다. 물론 역시 젊은 선생님들이 모여서 그런지 어느덧 주제는 연애와 사랑으로 흘렀고, 그것에 대해선 나는 할 말도, 하고 싶은 말도 없었기 때문에 조용히 듣고 있었다. 그리고 그 이야기들의 꼬리 끝에 내가 그동안 잊고 살던 내 삶에 대한 명확한 진실 하나를 건네받았다.

그 순간부터 지금까지 나의 모습과 현실에 대한 생각을 좀 많이 해야 했다. 나는 이십대 초반에 결혼해서 지금까지 아저씨로 살았다. 아이를 키우고, 가장으로 돈벌이를 하고, 수많은 집안일을 해내며 매일매일 왜 바쁜지도 모르고 바쁘게 지냈다. 바쁜 중에도 기쁨만큼은 넘쳤으니까.

그런데 갑자기 마주한 내 삶의 진실 앞에 숨이 턱 막혔다. 나는 그저 감정이 없는 아저씨로 살아야 한다는 당위성을 다른 사람의 편견으로 확인당하고 그 결과를 억지로 내 손에 쥔 느낌이랄까. 하지만 거부하지 않고 겸허하게 받아들이기로 한다. 스스로 생각해도 나는 다른 사람들의 통속적인 생각만큼 약하거나 통속적이지 않기 때문이다.

무엇보다 그 날 그 순간, 난 잠자던 사실 하나도 같이 발견했다. 스스로가 로맨틱하고 아직 주어야할 사랑도 받아야할 사랑도 많이 남은 사람임을 깨닫게 된 것이다.

이미 여러 가지 이유로 그저 생계만 위해 달리는 일에 파묻힌 아저씨가 아니라는 사실을 조금씩 알아가고 있는 중이었지만 이제는 '알았다'고 확실하게 말할 수 있다.

그런 서른여섯 남자로서의 정체성에 대한 기쁨을 조금씩 알아가고 있는 중이다. 왜 그동안 아무것도 해보려고도 않고서 그저 화석처럼 살았는지 스스로에게 불만도 토로했다. 물론 지금까지의 삶을 어떻게 하겠다는 건 아니다. 그것 또한 서른여섯 내 삶 자체니까.

이제는 기존의 삶에 더해 아직 시들지 않은 로맨틱한 스스로이기를 기대해 본다는 것이다. 사랑을 속삭일 수 있는 수많은 날들이 많음을 이제야 인지한 서른여섯의 잘 절제되고 안정적인 로맨틱한 남자라는 사실을 말이다. 왜냐하면 내겐 살아온 날보다 살아갈 날들이 훨씬 많기 때문이다.

사랑도 삶도 어느새 다시 시작이다.

2014년 7월 22일

#로맨틱 #주책아니야 #내나이가어때서 #트로트가사가생각나네
#아저씨라는감정없고화석같은나를깨트리는시간들

시작의 끝머리

글을 다듬고 읽고 또 읽으면서 조금은 앓았습니다. 글을 쓰던 때의 일들이 너무 생생하게 꼬리를 물고 떠올라 온 몸에 긴장감이 가득했기 때문입니다. 내 지난 시간들을 날 것으로 만난 다는 것은 즐거운 일기이도 하지만 용기 없이는 견뎌내기가 쉽지 않은 일이었습니다.

첫 시집 '사랑의 끝에서'를 세상에 내놓을 때는 무서운 줄 모르고 내놓았는데 두 번째 책이자 첫 글모음인 이번 글들은 무척이나 부담을 불러오는 것이라는 걸 글을 마무리하게 되는 시점에서 알게 되었습니다.

지금은 아주 깊은 새벽입니다.

맺는 글을 쓰기 위해서 어제 초저녁부터 몇 번을 읽었는지 모릅니다. 그래도 자꾸 망설여지는 부분들이 많습니다. 스스로에게 묻고 또 물어보지만 아직도 마음은 반반입니다. 이러다간 영영 이 책을 출판사에 보내지 못할 것만 같아 부리나케 이 글을 써 내려 가고 있습니다.

글들을 세상에 내어 놓는 것은 그저 내 이야기가 누군가의 가슴을 조금이나마 두드렸으면 하는 작은 소망이자 욕심이 들어간 큰 결심입니다.

부족한 줄 스스로 알지만 부족한 대로 조금씩 나아지기를 스스로에게 약속도 해봅니다. 이 작은 글 모음이 내년 쯤 나올 두 번째 시집으로 가는 징검다리가 되어줄 것 같습니다.

단 하나의 글이라도 여러분들에게 진심이 닿기를 바라며 마지막 책장을 마무리 할까 합니다.

2017년 5월
이세일